Collection **marabout service**

MIGUEL MENNIG

Le guide marabout **des étoiles**

Sommaire

Histoire de l'astronomie

Il n'est pas rare de lire dans un manuel d'astronomie que celle-ci est la plus ancienne des sciences et que déjà les peuples de la préhistoire s'y adonnaient. Parler de science au sens strict du terme procède sans doute d'une exagération mais il est clair que les phénomènes astronomiques se sont vite révélés d'importance vitale pour les premières communautés humaines, et ce pour plusieurs raisons.

Des manifestations cycliques de la nature, telles que l'alternance du jour et de la nuit ou la succession régulière des phases de la lune ne pouvaient manquer de susciter certaines questions chez l'homme primitif.

L'avènement des premières sociétés d'agriculteurs qui succédaient aux peuples de chasseurs et de pasteurs nécessitaient une mesure du temps. Quand faut-il procéder aux semailles ou encore comment déterminer le temps des moissons? C'est ainsi que, très tôt, on observa la course du soleil à travers les étoiles, elles-mêmes regroupées en constellations; ce qui permettait de définir le cours des saisons, et de régler la vie agricole. De même, quand apparurent les premiers navigateurs, il fallut bien trouver des repères pour se guider. Lesquels choisir, en dehors des étoiles jalonnant la voûte céleste ?

D'autres facteurs, moins utilitaires ceux-ci, collaborèrent à la naissance de l'astronomie. Ainsi, le besoin d'imprimer un certain rythme à la vie sociale. Toute société se doit de ponctuer son existence à travers célébrations de fêtes ou anniversaires, cérémonies rituelles ou liturgiques, passations de pouvoir, etc... La vie sociale, tout comme l'agriculture, exige donc l'établissement d'un calendrier. L'observation des phases de la lune ou du coucher du soleil sur fond des premières étoiles de la nuit obéissait à cette nécessité.

Enfin, le ciel était perçu comme étant le temple de forces souveraines, de divinités toutes puissantes dont les astres étaient les images visibles. L'intérêt pour les phénomènes célestes traduit ici les rapports que les hommes entretenaient avec leurs dieux, rapports où l'émotion l'emporte sur la raison, où le mythe l'emporte sur l'analyse. Cette croyance ancestrale de l'influence astrale sur les destinées humaines conduit tout naturellement à l'astrologie dont la frontière avec l'astronomie fut, pendant trop longtemps, bien mal définie.

L'Antiquité

En Mésopotamie

S'il faut situer les premiers balbutiements de l'astronomie, c'est sans doute en Mésopotamie qu'il faut le faire. Des tablettes d'argile datant de 2.800 ans avant J.C. témoignent d'une tradition astronomique déjà ancienne. Les Chaldéens sont les seuls, avant les Grecs, à procéder à des observations systématiques et étonnament précises. Soir après soir, ils notaient la position d'un astre sur la voûte céleste divisée en degrés, minutes et secondes, ce qui leur permettait de calculer à l'avance les positions relatives de la lune et du soleil et de s'essayer à la prédiction des éclipses. C'est ici aussi qu'on trouve les premiers groupements d'étoiles en constellations et une tablette témoigne déjà de la division du zodiaque en douze segments.

Toutes ces observations étaient motivées par un esprit plus religieux que scientifique dans la mesure où elles étaient liées à l'influence des dieux. Une éclipse de lune était un présage de bonheur tandis que l'apparition de Mercure annonçait une invasion de voleurs. Mais de telles considérations n'enlèvent rien à la justesse de leurs observations astronomiques. La science ne s'embarrasse pas des motivations des chercheurs, seuls comptent les résultats.

En Grèce

Ce qui caractérise le plus l'histoire de l'astronomie en Grèce, c'est de toute évidence une nouvelle démarche intellectuelle : l'éclosion d'un esprit logique et non plus mythique pour expliquer les phénomènes naturels. Les mythes subsistent encore mais parallèlement se fera sentir un besoin croissant de libérer la pensée de ceux-ci, de mettre à nu les mécanismes de l'Univers.

Longtemps la terre ne fut pour les Anciens qu'une surface plane en flottaison dans l'air ou dans l'eau, ou encore en repos sur la carapace d'une tortue géante ou sur le dos d'un éléphant placide. Le premier jalon que posa **l'Ecole Pythagoricienne** fut d'admettre que la terre est une sphère. Autour de celle-ci, le Soleil, la Lune et les autres planètes tournent en cercles concentriques. Dans sa révolution, chaque planète faisait entendre un son en rapport avec son orbite, de la même façon que la hauteur d'un son dépend de la longueur de la corde qui la produit. Ceci semble puéril mais ce qui l'est moins c'est cette mise en correspondance d'un phénomène physique, le son, et d'une grandeur numérique, c'est le début de la symbolisation mathématique, indispensable à toute science.

Un autre pythagoricien, **Philolaus**, mit en doute que la terre était immobile au centre des autres planètes gravitant autour d'elle. Il en fit un astre pareil aux autres, en mouvement autour d'un feu central. Ainsi prenait forme la tentative, un peu naïve, certes, de détrôner la Terre de sa position centrale de l'Univers.

Platon, en bon philosophe soucieux de trouver un principe universel gouvernant le Cosmos, donnait la primauté à la spéculation détachée de toute observation, à l'idée pure. Les astres étant créés par Dieu, il faut leur attribuer des mouvements parfaits. Puisque le cercle représente l'image de la perfection, ces mouvements seront circulaires et uniformes, car un Dieu ne se permet aucune irrégularité.

Ces deux caractères des trajectoires planétaires resteront, jusqu'à Copernic, des dogmes sacro-saints. **Aristote** lui-même, reprit cette dogmatique en la fondant sur une machinerie compliquée composée de 55 sphères emboîtées les unes dans les autres. Ce système était censé expliquer les observations attestant l'irrégularité apparente des mouvements planétaires.

Le système aristotélicien allait dominer et endormir la pensée occidentale pendant plus d'un millénaire. Un penseur de génie allait cependant échapper à cette sclé-

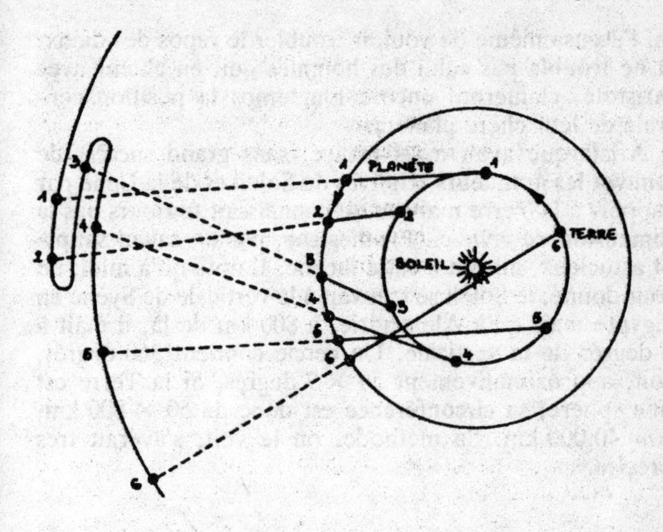

La terre et la planète tournent autour du soleil à des vitesses différentes. Ce qui explique que vue de la terre, la planète a l'air de reculer.

rose intellectuelle, c'est **Aristarque de Samos**, qui naquit en 310 av. J.C., douze ans après la mort d'Aristote.

On peut dire que sa conception du monde était proprement révolutionnaire puisque enjambant dix-sept siècles, elle rejoignait la conception héliocentrique de Copernic : ce n'est pas notre Terre qui est au centre du monde mais bien le Soleil. Nul avant lui ne s'était risqué à formuler une hypothèse aussi sacrilège, et qui le restera jusqu'au Moyen-Age. Et non content d'affirmer le mouvement de la Terre autour du Soleil, le mouvement de translation, il émit aussi l'idée que la Terre tournait sur elle-même autour de son axe. Il découvrait ainsi les deux mouvements fondamentaux de la Terre, celui de la translation et celui de la rotation, faisant fi du dogme postulant l'immobilité de la Terre et sa position centrale.

Ce précurseur audacieux ne fut guère pris au sérieux,

on l'accusa même de vouloir troubler le repos des dieux. Il ne troubla pas celui des hommes qui, en chœur avec Aristote, clameront encore longtemps la position centrale de leur chère planète.

Aristarque avait aussi essayé, sans grand succès, de trouver les grandeurs relatives du Soleil et de la Lune par rapport à la Terre mais on ne connaissait toujours pas la dimension de celle-ci. **Erathostène**, par un calcul simple et astucieux, mit fin à cette lacune. Il nota qu'à midi, un jour donné, le Soleil se trouvait à la verticale de Syène en Egypte mais qu'à Alexandrie, à 800 km de là, il était à 7 degrés de la verticale. Un cercle contient 360 degrés, soit, approximativement 50 × 7 degrés. Si la Terre est une sphère, sa circonférence est donc de 50 × 800 km, soit 40.000 km. Sa méthode, on le voit, s'avérait très précise.

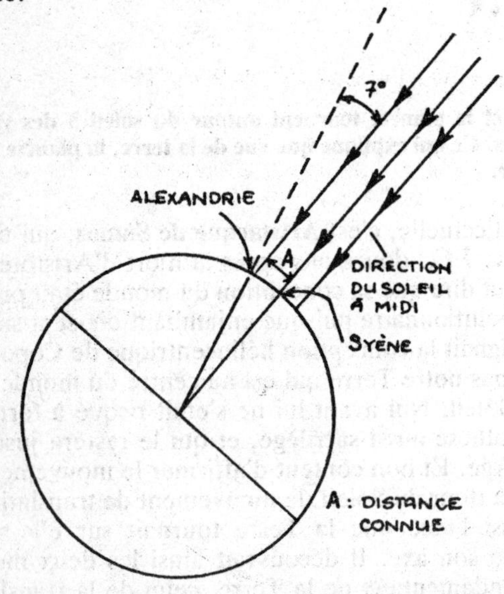

Méthode d'Erathostène pour mesurer la circonférence de la terre.

L'Ecole d'Alexandrie se signale surtout par l'accumulation d'observations qui nous ont été léguées dans l'Almageste de Ptolémée. Celui-ci reprenait une foule d'observations effectuées par **Hipparque** qui fut l'auteur du premier catalogue d'étoiles, en 130 av. J.C. On n'a plus de trace de ce catalogue mais on sait que **Ptolémée,** trois siècles plus tard, le reprit et l'enrichit pour écrire le premier traité d'astronomie de l'histoire, *l'Almageste.*

Ptolémée y expose son système de l'Univers, directement inspiré de celui d'Aristote. Les mouvements des corps célestes doivent être parfaitement circulaires et uniformes. Comment expliquer alors, qu'à l'observation, certaines planètes semblaient être en proie à des mouvements de recul ou même de zigzag? Pour expliquer ce comportement fantasque sans renier le système d'Aristote, il imagina un dispositif complexe où les rouages s'additionnaient jusqu'à la confusion. C'est la fameuse théorie des épicycles qui survécut jusqu'à ce que surviennent deux géants de l'astronomie, Copernic et Kepler.

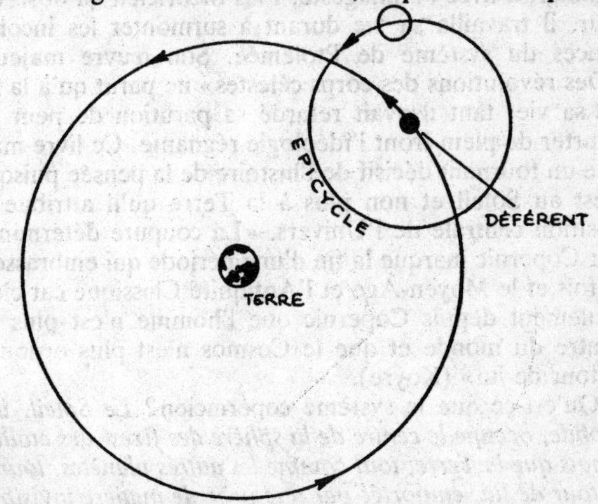

Le système de Ptolémée : la planète en orbite autour de la terre décrit un petit cercle (épicycle) dont le centre tourne autour de la terre. La forme parfaite, le cercle, est respectée.

La révolution astronomique

Copernic (1473-1543)

Au début du premier millénaire, la civilisation grecque brillait de ses derniers feux avant qu'une longue nuit d'obscurantisme ne tombe sur l'Europe. La connaissance elle-même devenait «une maladie de la curiosité... qui nous pousse à découvrir les secrets de la Nature, ces secrets qui sont au-dessus de nous, qui ne peuvent nous servir à rien»... (Saint Augustin).

C'est par l'intermédiaire des Arabes que l'Europe renouera avec la tradition grecque. Ceux-ci avaient fidèlement traduit Aristote aussi bien que Ptolémée ou Euclide, et au 13e siècle, l'Europe traduira ces auteurs de l'arabe en latin.

C'est ainsi que Copernic, un chanoine polonais, se familiarisa avec l'Almageste. Plus théoricien qu'observateur, il travailla sa vie durant à surmonter les incohérences du système de Ptolémée. Son œuvre majeure «Des révolutions des corps célestes» ne parut qu'à la fin de sa vie, tant il avait retardé sa parution de peur de heurter de plein front l'idéologie régnante. Ce livre marque un tournant décisif de l'histoire de la pensée puisque c'est au Soleil et non plus à la Terre qu'il attribue la position centrale de l'Univers. «La coupure déterminée par Copernic marque la fin d'une période qui embrasse à la fois et le Moyen-Age et l'Antiquité Classique car c'est seulement depuis Copernic que l'homme n'est plus au centre du monde et que le Cosmos n'est plus ordonné autour de lui» (Koyre).

Qu'est-ce que le système copernicien? *Le Soleil, immobile, occupe le centre de la sphère des fixes, des étoiles, tandis que la Terre, tout comme les autres planètes, tourne autour de lui, emportée par une orbe de matière invisible. De plus, la Terre tourne sur elle-même, ce qui explique l'alternance des jours et des nuits.*

L'œuvre de Copernic n'eut pas un retentissement

considérable. Elle était à contre-courant de toutes les idées reçues et en 1613, l'Eglise la mit à l'index comme contraire aux écritures. Mais les bases du système héliocentrique étaient jetées et n'allaient pas tarder à trouver une confirmation magistrale avec Johannes Kepler.

Kepler (1571-1630)

Il est un des rares qui ne se laissent pas abuser par l'accueil tiède ou franchement hostile fait aux travaux de Copernic. Encore étudiant, il perçoit la portée de l'idée héliocentrique. A vingt-cinq ans il publie les Mystères Cosmiques. Il n'accepte pas l'idée selon laquelle les planètes seraient mues par des orbes invisibles et soupçonne le Soleil d'être la force motrice des mouvements planétaires.

Longtemps il tâtonne et s'entête dans ses recherches jusqu'au jour où il est appelé au Danemark pour être l'assistant de Tycho Brahe. En 1601, celui-ci meurt et laisse à Kepler une masse d'observations conduites avec une précision étonnante. Celles-ci lui seront précieuses pour la formulation des lois qui en firent un des plus grands astronomes de l'histoire. Quelles sont-elles?

Le première mettait en pièces le vieux dogme de la circularité des orbites : *chaque planète décrit une ellipse dont le Soleil est un des foyers.*

La seconde s'attaquait à un autre principe sacré, celui de l'uniformité des mouvements planétaires et postulait que *la vitesse d'une planète le long de son orbite n'est pas constante; la vitesse augmente au fur et à mesure que la planète s'approche du Soleil et inversément. C'est ce qu'on appelle la loi des aires : les aires décrites par les rayons vecteurs sont proportionnelles au temps.*

Il lui faudra encore quelques années de travail pour formuler la troisième loi qui associe la durée de révolution d'une planète à la distance de celle-ci au Soleil; *plus une planète est proche du Soleil, plus courte sera sa période orbitale.*

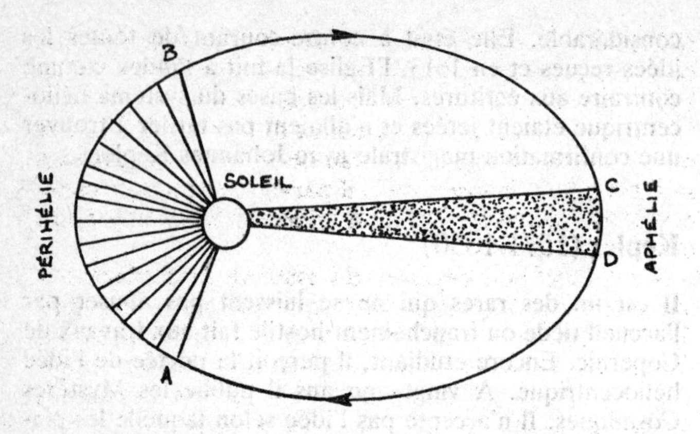

Deuxième loi de Kepler : la planète balaie des aires égales (ABS = CDS) en des temps égaux. Sa vitesse est plus rapide en AB qu'en CD.

Ces trois lois mettaient un terme au règne des conceptions poussiéreuses qui entachaient l'astronomie depuis vingt siècles et allaient permettre l'élaboration de la synthèse newtonienne. L'accueil de ses contemporains fut tout sauf enthousiaste et Galilée lui-même ignora superbement les lois de Kepler, restant attaché aux mouvements circulaires et uniformes.

Les dernières années de sa vie, il en fut réduit à dresser des calendriers astrologiques...

Galilée (1564-1642)

Contemporain de Kepler, il fut d'abord intéressé par les mathématiques et la physique dont on lui attribua parfois la paternité grâce à ses recherches sur la chute des corps.

En 1609, il se construit une lunette, ou longue-vue, dont le principe venait d'être découvert et il se lance alors dans l'étude du ciel.

Fervent adepte du système copernicien, il ne tarde pas à faire une découverte confirmant le travail de Copernic.

Son observation des phases de Vénus confirme bien que celle-ci tourne autour du Soleil car, dans le cas contraire, l'éclairement de Vénus par le Soleil resterait constant.

Il découvre encore les satellites de Jupiter, les taches et la rotation du Soleil, l'anneau de Saturne. En pointant sa lunette vers la voie lactée, il parvient à résoudre celle-ci en une myriade d'étoiles, révélant ainsi une autre échelle de l'univers.

Son option non déguisée du système de Copernic et son refus d'attribuer à la Bible quelque valeur scientifique lui valurent ses célèbres démêlés avec l'Inquisition. Condamné par celle-ci, accusé d'hérésie, il finit par abjurer ses opinions. La postérité le gardera cependant comme un symbole de l'indépendance d'esprit.

Newton (1643-1723)

L'année 1643 vit la mort de Galilée et la naissance d'une autre figure immortelle de la science, Isaac Newton.

Fervent mathématicien, il jette les bases du calcul différentiel et intégral et s'intéresse alors aux applications de ce nouvel outil.

Galilée avait déjà étudié les lois de la chute des corps et formulé la loi d'inertie : *la trajectoire d'un corps en mouvement uniforme est une ligne droite si aucune force ne vient agir sur le corps.*

Newton se demande si ce principe, valable pour les corps sur la Terre, peut intervenir pour expliquer les mouvements planétaires, tels qu'ils étaient décrits par les trois lois de Kepler. Quelle force peut empêcher la Lune, dans son orbite autour de la Terre, de s'en aller en ligne droite, ou de tomber sur la Terre, comme la célèbre pomme ?

C'est ainsi qu'il en arriva à formuler sa célèbre loi de la gravitation universelle : *deux corps massifs s'attirent en raison directe de leur masse et en raison inverse du carré de leur distance.* Deux corps s'attirent d'autant plus qu'ils sont plus massifs, tandis que si nous doublons la distance

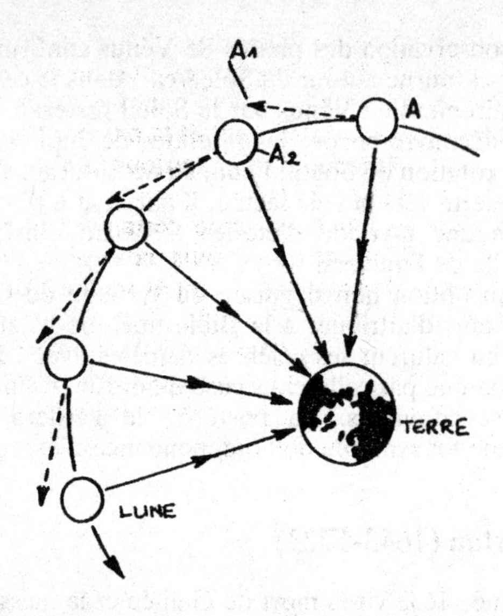

C'est l'attraction qui fait «tomber» la lune sur la terre de A_1 en A_2, tandis que la force centrifuge l'entraîne de A vers A_1. L'orbite de la lune est déterminée par l'équilibre de ces deux forces.

qui les sépare, l'attraction sera quatre fois moindre.

Là où Kepler s'arrêtait à la description des mouvements, Newton réussit à en trouver le moteur, la cause première. Il était le premier à introduire un concept de causalité, généralisable aussi bien sur la Terre que dans le Cosmos; la pomme qui tombe et la Lune en orbite autour de la Terre sont l'une et l'autre soumises à la loi de la gravitation. Celle-ci explique encore parmi bien d'autres choses, comment les marées résultent de l'attraction luni-solaire. Elle permettra aussi de découvrir des planètes inconnues à partir de certaines irrégularités orbitales de planètes observées. Ces irrégularités révélaient la présence d'une attraction perturbatrice inconnue, d'un nouvel astre à découvrir. En 1781, ce fut Uranus, Neptune en 1846 et Pluton en 1930.

Newton inventa aussi le télescope à réflexion où l'objectif de verre, comme dans la lunette, est remplacé par un miroir. Enfin, il découvrit que la lumière blanche est une lumière complexe qu'on peut décomposer en sept couleurs fondamentales. C'était la base de l'analyse spectrale dont l'astrophysique, aujourd'hui, ne peut se passer.

On peut attribuer un génie certain à cet homme qui disait : « Je ne sais ce que je puis paraître au monde, mais à moi-même il me semble que j'ai seulement été comme un petit garçon qui joue sur la plage et qui se divertit à trouver, de temps en temps, un caillou mieux poli ou un plus beau coquillage que de coutume alors que l'immense océan de la vérité s'étend devant moi, encore entièrement inexploré. »

L'astronomie stellaire

Jusqu'à présent, à quelques exceptions près, il n'a jamais été question des étoiles dans l'astronomie. Les Anciens les considéraient comme des lanternes fixes accrochées à une sphère de cristal, la sphère des fixes, qui délimitaient la demeure des dieux.

En 130 av. J.C., **Hipparque** dressa un catalogue dans lequel il donnait la position d'un millier d'étoiles visibles sous le ciel de Rhodes. En 1550, **Tycho Brahe**, le maître de Kepler, publia un autre catalogue, d'une précision remarquable pour l'époque. Mais, de façon générale, c'était les planètes (en grec : astre errant) qui retenaient l'attention des astronomes.

Au dix-septième siècle, l'invention de la lunette astronomique et du téléscope allait permettre l'observation de ces astres lointains et révolutionner l'idée que l'homme se faisait de l'Univers. Si ces petits points lumineux sont chacun un Soleil pareil à l'astre qui nous réchauffe, à quelles distances inimaginables doivent-ils se situer pour être si discrets ?

La première découverte d'importance concernant les étoiles mettait fin au dogme de la fixité des étoiles, dogme qui remontait à l'Antiquité. En 1718, **Halley** compare la position de certaines étoiles à celle qu'avaient notée des astronomes anciens. Cette position n'est manifestement plus la même. Il découvrira ainsi le mouvement propre de trois étoiles : *Aldébaran, Sirius* et *Arcturus*. Les étoiles sillonnent donc le ciel mais leur distance énorme nous cache ce mouvement qui finit par déformer les constellations.

William Herschel est un des grands noms de l'astronomie stellaire. Ce musicien de Hanovre fut un observateur infatigable du ciel. Il fabriqua un téléscope dont l'ouverture atteignait un mètre, un record pour l'époque. Cela lui permit d'atteindre des étoiles cent fois plus faibles que celles observées jusqu'alors.

Il étudia particulièrement les étoiles de la Voie Lactée et émit l'hypothèse qu'elles devaient former un système gravitationnel en forme de lentille. Le premier, il proposait ainsi *le modèle de la Galaxie.* Il eut seulement le tort de situer le Soleil en son centre.

En dehors de la Voie Lactée, il découvre d'autres groupes d'étoiles qu'il appelle des «univers-îles». C'est ce qu'on appelle maintenant des *amas d'étoiles.* Il nous a d'ailleurs laissé un catalogue de nébuleuses composées soit d'étoiles, soit de masses gazeuses.

Il est le père d'une branche particulièrement féconde de l'astronomie, celles des *étoiles doubles.* Ce sont des étoiles qui décrivent des ellipses autour de leur centre de gravité commun. Voilà qui confirmait l'universalité des lois de Kepler et de Newton. On estime actuellement qu'au moins cinquante pour cent des étoiles vivent ainsi en couples.

En 1938, **Bessel** calcule pour la première fois *la distance d'une étoile*, celle de l'étoile 61 de la constellation du Cygne. 80.000 milliards de km nous en séparent, soit 11 années-lumière. Cette première distance stellaire forçait l'homme à réviser son échelle de l'Univers. Nous savons maintenant que cette étoile fait partie de notre proche banlieue puisque la lumière met 100.000 ans à traverser notre galaxie et qu'il y a des millions d'autres galaxies situées à des millions ou des milliards d'années-lumière.

Depuis le début du XIXe siècle, les découvertes vont se succéder à un rythme de plus en plus rapide pour donner naissance à l'astrophysique dont le laboratoire aura des dimensions peu communes, celles de l'Univers; laboratoire qui permettra à l'homme de réaliser son vieux rêve, voyager dans l'espace et dans le temps. Les chapitres suivants nous donneront l'occasion de visiter ce laboratoire.

Ici s'arrête notre histoire des grandes étapes de l'astronomie puisque les développements plus récents de cette science seront exposés dans la partie consacrée à l'étude scientifique des étoiles.

La pratique de l'observation

Le mouvement diurne du ciel

Par une belle nuit claire, partez à la recherche d'un endroit bien dégagé qui vous permettra d'avoir une vue générale du firmament.

■ **Tournez-vous vers le sud** et choisissez un repère terrestre quelconque (groupe d'arbres, clocher, etc.) par rapport auquel vous situerez quelques étoiles brillantes. Armez-vous de patience et observez ces mêmes étoiles une ou deux heures plus tard. Vous serez surpris de constater qu'elles se sont déplacées d'est en ouest.

■ **Tournez-vous maintenant vers le nord** et procédez à la même expérience. Ici, les étoiles semblent dessiner des arcs de cercle dont la longueur sera proportionnelle à votre patience. Au centre de cette ronde, une étoile, curieusement, vous paraît immobile.

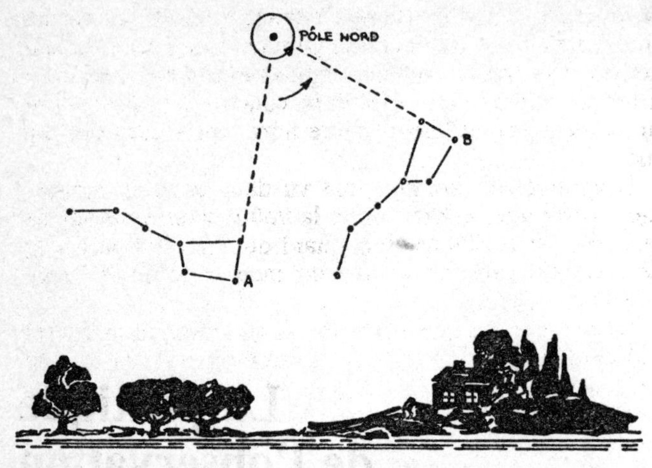

Le ciel tourne autour du pôle. En quelques heures la Grande Ourse se déplace de A à B, indiquant toujours l'étoile polaire.

■ **Si vous répétez ces observations 24 heures plus tard,** vous retrouverez ces étoiles dans une position presque semblable à celle de la veille.

■ **Qu'est-ce que le mouvement diurne?**
Il apparaît donc que la voûte céleste accomplit un tour entier en un jour. Voilà pourquoi ce mouvement, on l'appelle le mouvement diurne : c'est la rotation d'ensemble de la voûte céleste autour d'un point apparemment immobile, **l'étoile polaire**. Il faut noter que ce mouvement diurne ne s'effectue pas exactement en un jour mais en 23 h 56′, durée du **jour sidéral** (du latin sidus, étoile).

■ Autour du pôle, se trouvent **les étoiles circumpolaires** qui sont les étoiles visibles pendant toute l'année; pour un observateur, elles se situent toujours au-dessus de l'horizon. Il est clair que plus grande sera la distance entre une étoile et le pôle céleste, plus le cercle décrit par celle-là se rapproche de l'horizon.

■ A partir d'une certaine distance, toutes les étoiles sont forcément sous l'horizon pendant une partie de leur course. **Ces étoiles non-circumpolaires** semblent se lever à l'est, monter dans le ciel et se coucher à l'ouest. Pour un observateur de l'hémisphère nord, ces étoiles sont au sud.

Longtemps les hommes ont vu dans ce vaste mouvement cosmique la rotation de la voûte céleste autour de la Terre. Nous savons maintenant que, si rotation il y a, ce n'est pas celle du firmament mais celle de la Terre autour de son axe.

La Terre est en quelque sorte un gigantesque carrousel tournant sous le regard brillant des étoiles. Tout semble tournoyer autour de nous et cette illusion eut une vie bien longue.

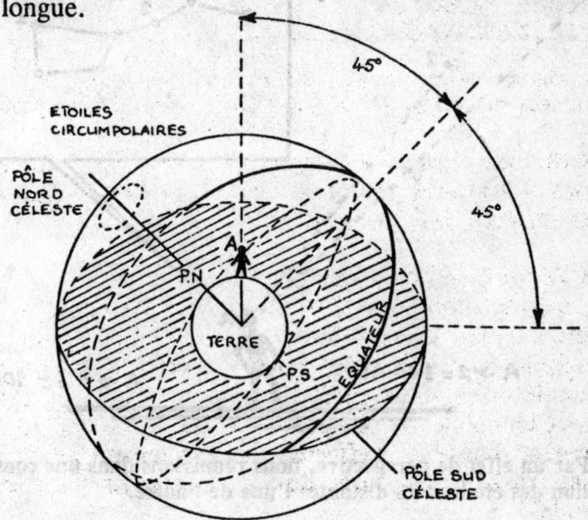

L'observateur A, situé à 45° latitude Nord, verra les étoiles de l'hémisphère Nord et d'une partie de l'hémisphère Sud jusqu'au 45e parallèle de déclinaison Sud (90° - 45°). Les étoiles circumpolaires sont toujours visibles tandis que les autres disparaissent aux yeux de l'observateur pendant une partie de leur course.

Les coordonnées célestes

Quand nous levons les yeux vers le ciel, nous avons l'impression que tous les astres sont placés sur une gigantesque sphère qui nous environne de toutes parts. Trompés par la perspective, nous leur attribuons une distance égale pour tous, nous les plaçons sur un dôme imaginaire. C'est ainsi que deux étoiles séparées par des millions de kilomètres nous paraissent entretenir des relations de voisinage.

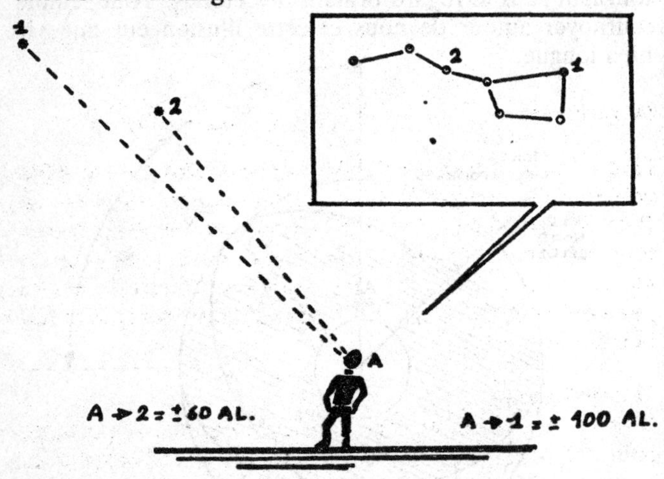

Par un effet de perspective, nous réunissons dans une constellation des étoiles très distantes l'une de l'autre.

■ La sphère céleste

Ce n'est pas une réalité physique mais une création visuelle. C'est à elle que se réfèrent les astronomes pour déterminer la position des astres. Voyons comment la représenter. Son centre coïncide avec celui de la Terre. Si nous prolongeons l'axe de la Terre qui va d'un Pôle à

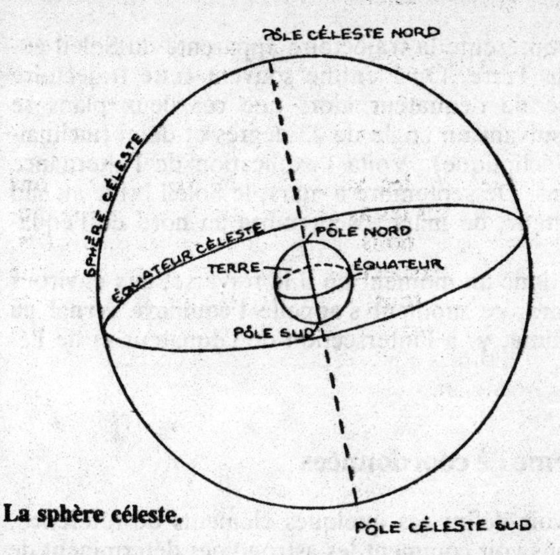

La sphère céleste.

l'autre, nous obtenons le Pôle céleste Nord et le Pôle céleste Sud, l'Etoile Polaire nous indiquant bien sûr le Pôle céleste Nord. Une fois posé cet axe central, projetons sur le ciel l'équateur terrestre et nous voilà avec un nouveau plan de référence, l'équateur céleste. Celui-ci partage le ciel en deux hémisphères égaux, comme le fait l'équateur pour la Terre.

■ L'écliptique

Il nous reste à définir une troisième donnée importante pour mesurer les positions des étoiles, c'est l'écliptique.

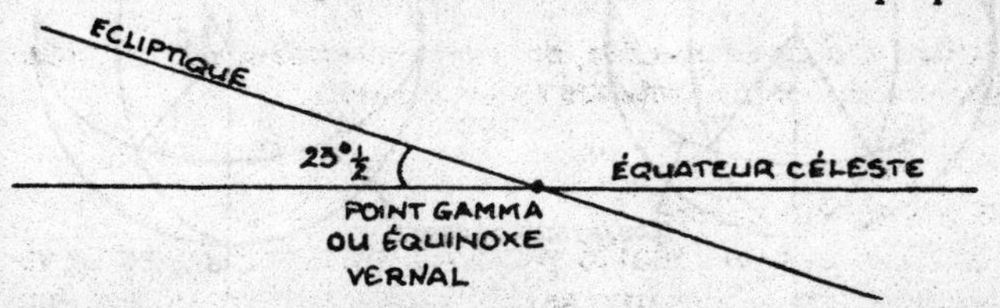

Inclinaison de l'écliptique par rapport à l'équateur. Du fait de la précession, le point gamma se déplace et se trouve maintenant dans la constellation des poissons.

Celle-ci représente la trajectoire apparente du Soleil autour de la Terre. On identifie souvent cette trajectoire avec celle de l'équateur alors que ces deux plans se coupent suivant un angle de 23 degrés et demi (inclinaison de l'écliptique). Voilà l'explication de l'alternance des saisons. De septembre à mars, le Soleil brille au sud de l'équateur, de mars à septembre au nord de l'équateur.

□ Il y a donc un moment où il le traverse, aux environs du 21 mars ; ce moment s'appelle **l'équinoxe vernal ou point gamma, γ**, à l'intersection de l'équateur et de l'écliptique.

Le système de coordonnées

Après avoir défini ces quelques éléments de référence, nous allons voir comment les astronomes déterminent de façon précise la position des astres. Ils font appel à un système de coordonnées analogue à celui qu'on utilise pour repérer un point sur la carte terrestre. *La latitude d'un astre s'appelle sa déclinaison, et sa longitude, son ascension droite.*

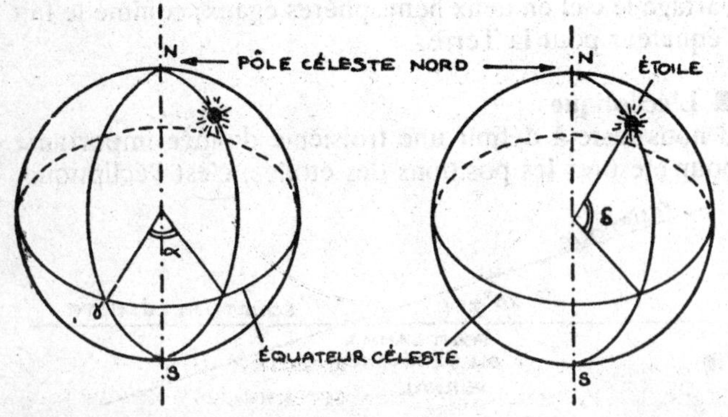

Les coordonnées d'une étoile :
α = ascension droite de l'étoile
δ = déclinaison de l'étoile.

■ **La déclinaison correspond à la distance angulaire d'un astre par rapport à l'équateur céleste, comptée de 0 à 90, avec le signe + au nord de l'équateur, le signe - au sud.** On la désigne par la lettre grecque δ. La déclinaison de l'étoile polaire sera à peu près + 90°, celle d'une étoile proche de l'équateur sera voisine de 0°.

□ Une remarque importante : *la hauteur d'une étoile varie en fonction de la latitude de l'observateur.* Au pôle nord, l'étoile polaire sera vue à la verticale, au zénith, tandis que de l'équateur, elle se situera à l'horizon. Pour un Parisien elle sera à 48°.

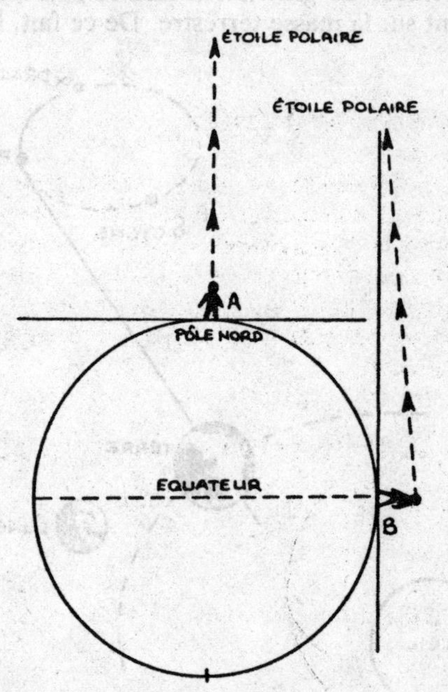

■ L'autre coordonnée est **l'ascension droite** qu'on désigne par la lettre alpha, α. **Correspondant à notre longitude terrestre, c'est la distance entre le cercle horaire d'une étoile (le méridien) et celui qui passe par le point vernal ou point gamma.** De ce point, elle se mesure vers l'est en heures, minutes et secondes. Entre chaque méridien ou cercle horaire il y a une heure de différence, ou encore 15° (360 : 24).

■ La précession

Les ascensions droites et les déclinaisons des étoiles resteraient strictement constantes si, à la translation et à la rotation de la Terre, ne venait s'ajouter un autre mouvement, d'une grande lenteur. La Terre n'est pas une sphère parfaite en raison d'un léger renflement équatorial et les forces de gravitation luni-solaire s'exerceront inégalement sur la masse terrestre. De ce fait, l'axe de la

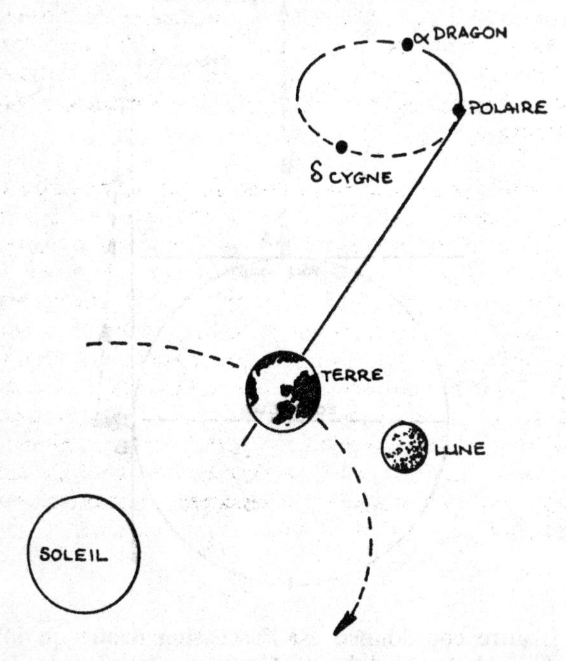

La précession : l'axe de la terre pivote lentement autour d'un axe perpendiculaire à son orbite. Aujourd'hui, l'étoile polaire est au zénith du pôle nord. Il y a 4.500 ans, c'était α du Dragon qui indiquait le pôle.

Terre ne reste pas vraiment fixe par rapport aux étoiles, il pivote lentement, comme le fait une toupie, autour d'un cercle étroit. Ce cercle, à l'échelle de l'Univers, l'axe de la Terre met 26.000 ans à le boucler. C'est le phénomène de la précession.

Il nous permet de comprendre que *l'étoile polaire n'est pas la même au cours des temps.* Aujourd'hui c'est l'étoile alpha de la Petite Ourse ; il y a 4.500 ans, lors de la construction de la grande Pyramide, c'était l'étoile alpha du Dragon, dans une quinzaine de siècles, ce sera gamma de Céphée.

Il en résulte aussi que *le point vernal recule chaque année de 50″ sur l'équateur.* A l'équinoxe de printemps, le Soleil n'est plus, comme il y a 2000 ans, dans la constellation du Bélier, mais dans celle des Poissons et entrera prochainement dans celle du Verseau. Avis aux astrologues...

Les coordonnées célestes sont de première importance dans la détermination des positions astrales. Il suffit à l'astronome de braquer son instrument sur les coordonnées de l'objet à étudier, sans devoir procéder à des approximations fastidieuses. Bien sûr le regroupement des étoiles en constellations donne une idée de la géographie céleste mais elle ne représente aucun intérêt scientifique. Il n'est pas rare qu'un astronome ne puisse distinguer une constellation d'une autre. Les coordonnées lui permettent effectivement d'ignorer ces distinctions. Il se tournera plutôt vers les catalogues de cartes du ciel lui fournissant les données nécessaires : positions, magnitudes, etc.

Géographie du ciel

Dans les dernières lueurs du Soleil couchant apparaît la planète Vénus qu'à tort on appelle l'Etoile du Berger. Au fur et à mesure que le Ciel se fait plus sombre, un nombre croissant d'étoiles parsème la voûte céleste. Dans l'ensemble, pour les deux hémisphères, on compte à peu près 6000 étoiles visibles à l'œil nu. Un observateur quelconque ne pourra en percevoir que la moitié, l'autre lui restant cachée derrière son horizon. Et encore, ce chiffre de 3000 sera rarement atteint, soit que les conditions atmosphériques ne soient pas idéales, soit qu'un éclairage artificiel ne vienne gêner l'observation, ou que notre vue n'ait pas l'acuité requise.

■ Les conditions d'observation

Recherchez toujours *un endroit bien dégagé*, si possible dominant le paysage et *à l'abri de toute lumière parasite.* Evitez les nuits de pleine lune. Dernière remarque importante : de même qu'il nous faut une période d'acclimatation quand nous changeons de milieu, de même l'œil, passant de la lumière à l'obscurité, a besoin d'un certain temps pour se faire à celle-ci. Il faut en effet que la pupille se dilate au maximum. Il n'est donc pas interdit de rêvasser une bonne dizaine de minutes, et ce dans un lieu éloigné de toute interférence lumineuse.

Pour trouver votre chemin dans l'océan des étoiles vous allez vous raccrocher à quelques constellations aisément repérables. En procédant par la méthode des alignements qui consiste à tracer, à partir d'un repère connu, des lignes imaginaires, droites ou courbes, vous pourrez reconnaître, de proche en proche, d'autres constellations ou étoiles. Je vous montrerai quelques exemples d'alignements, vous pourrez vous-même en imaginer bien d'autres.

Le ciel du nord ou ciel boréal

Alignements à partir de la Grande Ourse

Commençons notre exploration par les constellations proches du Pôle nord, les constellations circumpolaires, visibles toute l'année.

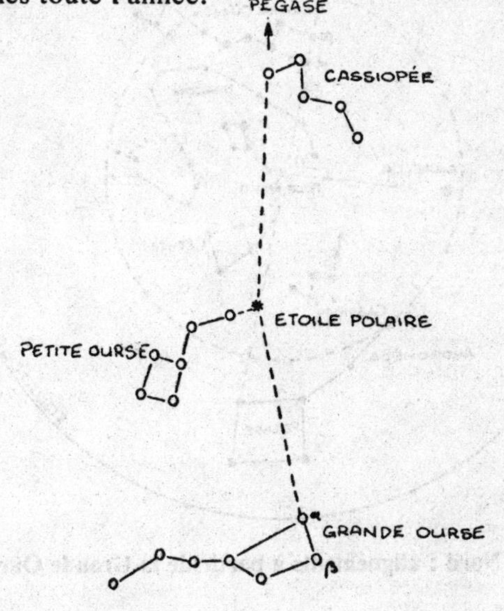

Hémisphère Nord : repérer l'Etoile Polaire et Cassiopée à partir de la Grande Ourse.

■ Les constellations circumpolaires

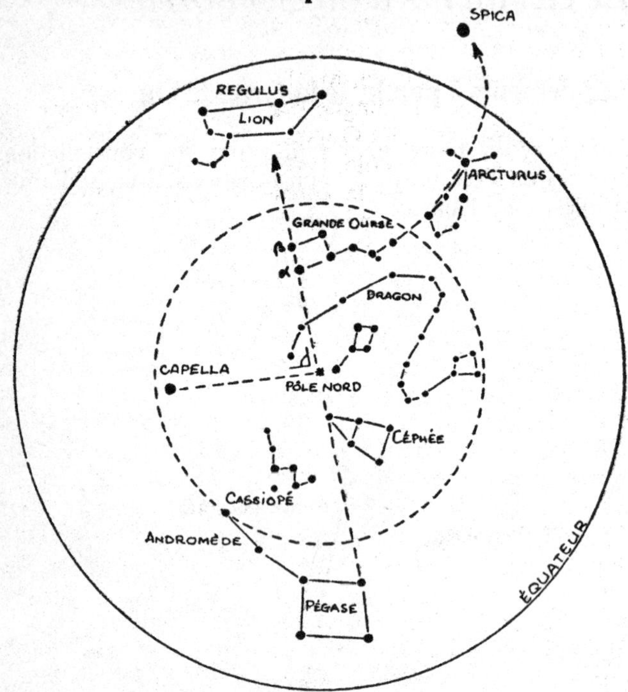

Hémisphère Nord : alignements à partir de la Grande Ourse.

Le repère indispensable est celui de **la Grande Ourse**, qu'on compare à un chariot ou à une casserole.

□ *En prolongeant bêta et alpha* (appelées *les gardes*) *vers le zénith*, nous tombons sur **l'étoile Polaire**, à l'extrémité de **la Petite Ourse**.

□ *Cette ligne, prolongée d'une égale distance*, passe à côté de **Cassiopée** dont cinq étoiles brillantes forment un W ou un M facilement identifiable.

□ *Poursuivant notre route dans la même direction* on aboutit au **Grand Carré de Pégase** (qui ne figure toutefois plus parmi les constellations circumpolaires).

□ Celui-ci se prolonge, *en dessous de Cassiopée*, par une série d'étoiles, **la constellation d'Andromède**, qui aboutit à **Persée**. Tous les astronomes connaissent Andromède pour sa fameuse galaxie, M 31.
□ Notons encore la longue **constellation du Dragon** qui serpente entre les deux Ourses. Une légende lui attribue le rôle de gardien du Pôle. Entre le Dragon et Cassiopée, près du Pôle, s'étend **la constellation de Céphée**, à la forme d'une petite maison dessinée par un enfant. On y trouve une étoile variable, **delta**, qui donnera son nom à la classe des Céphéides.

■ **Les constellations non-circumpolaires**

Nous en avons fini avec les étoiles circumpolaires, qui jamais ne se lèvent ni ne se couchent. Mais les alignements déjà tracés nous seront précieux pour identifier d'autres constellations plus proches de l'équateur, visibles à certaines époques de l'année.
□ *Reprenons la ligne joignant les gardes de la Grande Ourse à l'Etoile Polaire*. Arrivés à celle-ci, tournons à angle droit, le dos à la Petite Ourse et avançons-nous jusqu'à l'étoile la plus brillante de cette région céleste : c'est **Capella**, dans **la constellation du Cocher**.
□ *En prolongeant l'arc amorcé par la queue de la Grande Ourse*, nous rencontrons une autre étoile très lumineuse et orange, **Arcturus**, dans **la constellation du Bouvier**. En passant, remarquons la jolie constellation de la Couronne Boréale, formée de sept étoiles en forme de diadème. Continuons à suivre cet arc et nous découvrons, juste sous l'équateur, l'étoile **Spica**, de **la constellation de la Vierge**.
□ *De retour à la Grande Ourse, nous reprenons l'axe reliant celle-ci à l'étoile Polaire, mais cette fois-ci dans la direction opposée*.

Cela nous mène à **la constellation du Lion**, reconnaissable à un groupe d'étoiles en forme de faux (ce serait la crinière du Lion). Au bas de cette faux, sur l'écliptique, se trouve une autre étoile brillante, **Regulus**, qui, avec Arcturus et Spica, forme le «triangle du printemps».

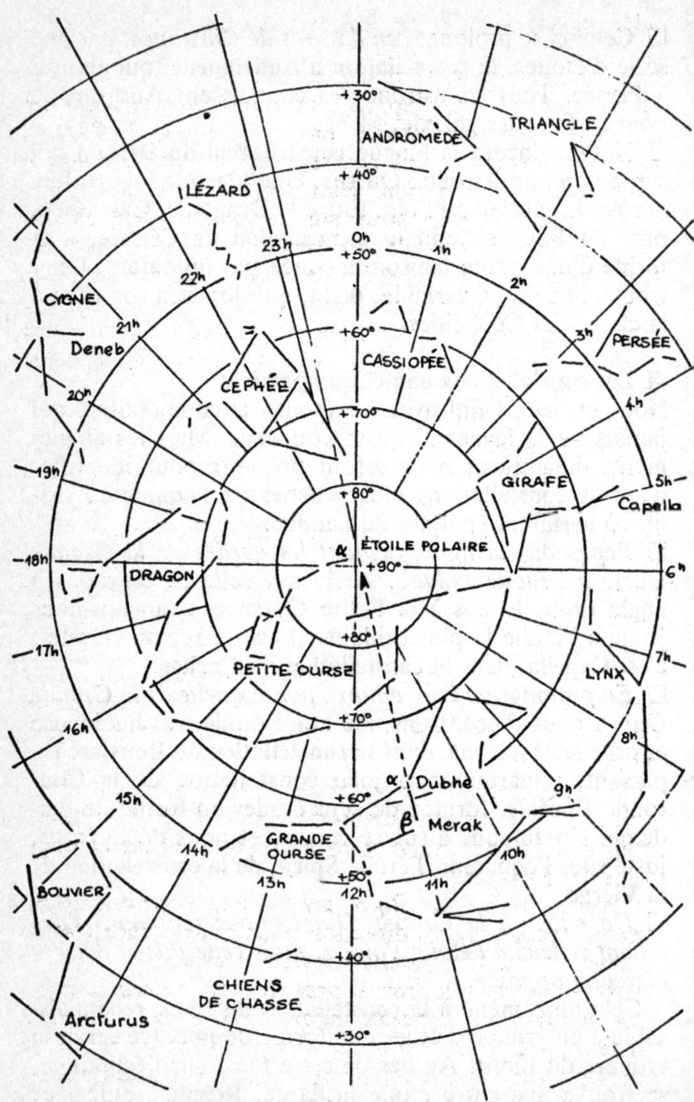

Le ciel autour du pôle Nord céleste.

Alignements à partir de la constellation d'Orion

Ce premier ensemble d'alignements prenait la Grande Ourse pour point de départ. Il est une autre constellation qui, avec plusieurs étoiles particulièrement brillantes, attire irrémédiablement nos regards et permet d'autres alignements, c'est **Orion**. Bien lointaine de la Grande Ourse puisqu'elle se situe sur l'équateur, elle est un joyau rutilant du ciel d'hiver dans l'hémisphère nord, et, simultanément, du ciel d'été dans l'hémisphère sud. Les alignements qui vont suivre seront donc tout aussi utiles à un Parisien qu'à un Malgache. Seules les conditions d'observation diffèrent ; l'un aura plus intérêt à s'habiller chaudement que l'autre.

Censée représenter un guerrier, la constellation d'Orion suggère plutôt un papillon aux ailes ouvertes dont le corps serait formé de trois étoiles accolées, le « baudrier » d'Orion ou encore les « Trois Rois ». Cette superbe constellation contient quelques étoiles étonnantes : **Bételgeuse**, une super-géante rouge, dont le diamètre oscille entre 300 et 400 fois celui du Soleil ; **Bellatrix**, une autre super-géante et **Rigel**, super-géante bleue, la sixième étoile la plus brillante du ciel.

□ *Si nous prolongeons le baudrier vers le nord*, nous atteignons **Aldébaran**, « l'œil rouge » de **la constellation du Taureau**. Le diamètre de cette géante est 36 fois celui de notre Soleil.

□ *Poursuivons un rien notre route dans la même direction* et nous traversons d'abord le fameux amas d'étoiles, celui des **Hyades**, suivi d'un autre non moins célèbre, celui des **Pléiades**.

□ *Partant de la bleue Rigel, acheminons-nous vers Bételgeuse* la rouge. Cette direction nous amène chez **Castor et Pollux**, dans **la constellation des Gémeaux**.

□ *Revenons au Baudrier et prolongeons-le dans la direction opposée d'Aldébaran, allons vers le sud*. Nous ne tarderons pas à rencontrer une étoile blanche, **Sirius**, la plus brillante de tout le firmament, dans **la constellation du Grand Chien**. La légende rapporte que deux chiens

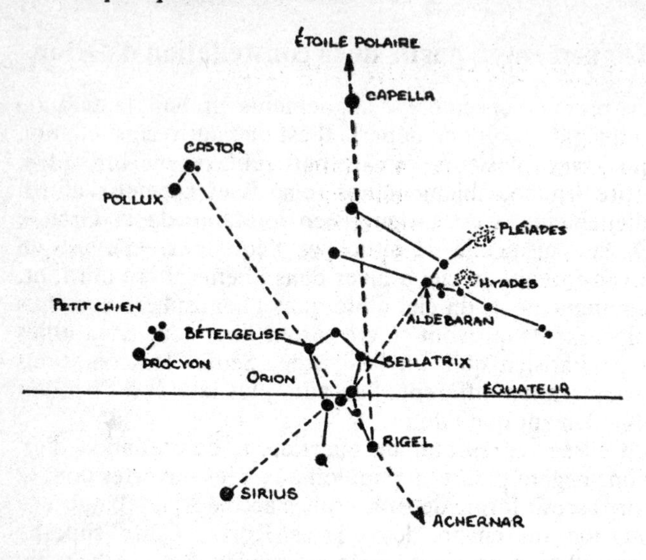

Alignement à partir de la constellation d'Orion. Orion est dans le prolongement symétrique de l'étoile polaire par rapport à Capella.

accompagnaient Orion. **Le petit Chien** nous le verrons entre Sirius et les Gémeaux. Rien ne le distingue en dehors de **Procyon**, une étoile brillante de couleur blanche.

☐ Sachons aussi qu'*en traçant une ligne Etoile Polaire, Rigel*, nous trouvons au milieu de cette ligne, **Capella, du Cocher** et, à partir de celle-ci, bien d'autres déjà mentionnées.

Nous avons ainsi parcouru le ciel, depuis les régions polaires, jusqu'à l'équateur, poussant même une incursion dans l'hémisphère sud. Cette exploration a pris fin dans la région faste d'Orion mais qui nous empêche de partir à l'aventure, de tracer de nouvelles routes où d'autres beautés stellaires nous attendent ?

Le ciel du sud ou ciel austral

Cette partie du ciel n'a certainement rien à envier à son homologue nordique; elle regorge de constellations brillantes, d'amas stellaires et on peut y voir les systèmes galactiques externes les plus proches de nous, les Nuages de Magellan.

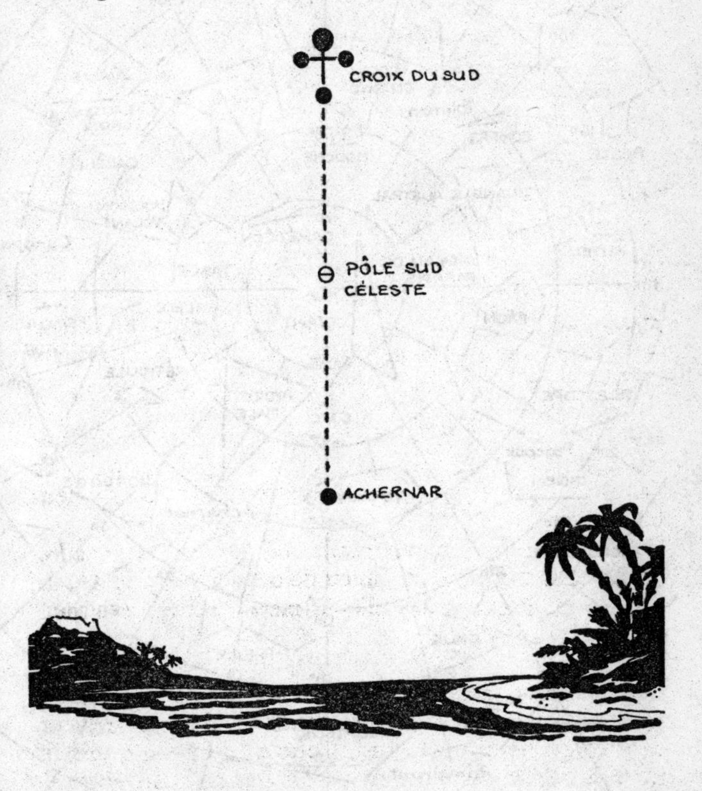

Le pôle Sud céleste est à mi-chemin de la Croix du Sud et d'Achernar.

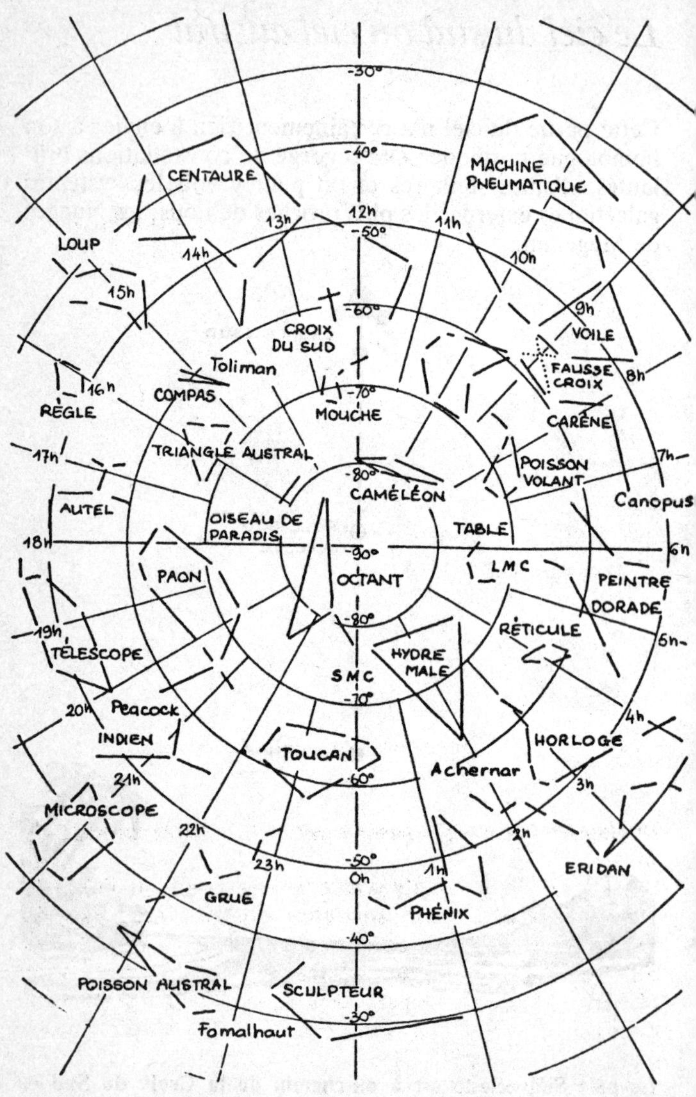

Le ciel autour du pôle Sud céleste.

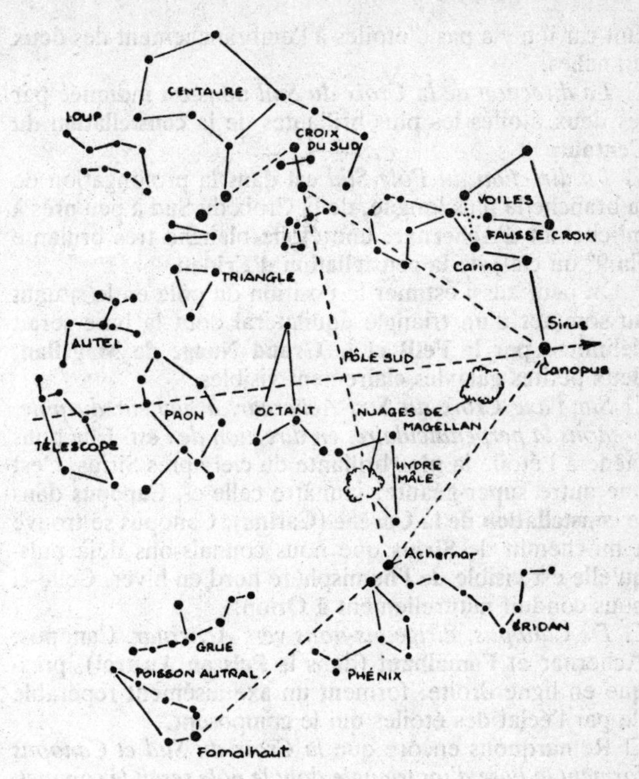

Hémisphère Sud : alignements à partir de la Croix du Sud.

Mais l'orientation s'y avère moins aisée, le Pôle n'y étant pas indiqué par une étoile particulière. Faisons encore appel à la méthode des alignements pour progresser dans cette exploration australe.

□ Notre point de départ sera la constellation la plus célèbre du ciel austral, la **Croix du Sud** (Crux), située dans la Voie Lactée à côté d'une nébuleuse obscure, le «**sac à charbon**», contrastant sur le fond clair.

En fait, cette constellation suggère plutôt un cerf-volant car il n'y a pas d'étoiles à l'embranchement des deux branches.

□ *La direction de la Croix du Sud* nous est indiquée par les deux étoiles les plus brillantes de la **constellation du Centaure.**

□ *La direction du Pôle Sud* est dans la prolongation de la branche la plus longue, de la Croix du Sud à peu près à mi-chemin d'**Achernar**, une étoile blanche très brillante (la 9e du ciel) de **la constellation d'Eridan.**

On peut aussi estimer la position du pôle en le situant au sommet d'un triangle équilatéral dont la base serait délimitée par **le Petit et le Grand Nuage de Magellan**, deux petites galaxies clairement visibles.

□ *Sur l'axe Croix du Sud-Achernar, à hauteur du pôle, prenons la perpendiculaire, en direction de l'est.* Elle nous mène à l'étoile la plus brillante du ciel après Sirius, c'est une autre super-géante, jaunâtre celle-ci, **Canopus** dans **la constellation de la Carène** (Carina). Canopus se trouve à mi-chemin de **Sirius** que nous connaissons déjà puisqu'elle est visible de l'hémisphère nord en hiver. Celle-ci nous conduit naturellement à Orion.

□ *De Canopus, dirigeons-nous vers Achernar.* Canopus, Achernar et **Fomalhaut** (dans **le Poisson Austral**), presque en ligne droite, forment un axe aisément repérable de par l'éclat des étoiles qui le composent.

□ Remarquons encore que *la Croix du Sud et Canopus forment la base d'un triangle dont le pôle serait le sommet. A l'opposé de celui-ci, sous la base*, nous trouvons ce qu'on appelle **la «Fausse Croix»**, composée de quatre étoiles, deux dans **la Voile** (Vela), et deux dans **Carina.** Ne la confondons pas avec l'autre, la «vraie», qui nous indique le pôle.

Le ciel à chaque saison

Quatre cartes nous permettent de déterminer quelles constellations sont visibles à chaque saison de l'année, en dehors des constellations circumpolaires non affectées par le jeu des saisons. Il va sans dire que, pour une même carte, la saison indiquée, celle de l'hémisphère nord, diffère de la saison en cours dans l'hémisphère sud.

Le ciel d'automne

■ **Au nord**, le ciel est dominé par **le grand Carré de Pégase** qui contient aussi **l'étoile alpha d'Andromède.**
□ *De celle-ci dirigeons-nous vers bêta et gamma de cette même constellation*. Au nord de bêta, se trouve **la grande galaxie spirale d'Andromède**, semblable à la nôtre. Plus de deux millions d'années-lumière nous en séparent; notre regard la perçoit comme une tache ovale.
□ *Au-delà de bêta et gamma*, on aperçoit **Algol** dans **la constellation de Persée**. Algol (le démon, en arabe) est une étoile variable à éclipses. Persée est connue comme étant la source d'une **pluie de météores**, chaque année, un peu avant le quinze août.

■ **Au Sud**, les deux étoiles brillantes **Fomalhaut** (dans **le Poisson Austral**) et **Achernar** de **la constellation d'Eridan** attirent notre regard.
□ *Au nord d'Achernar*, nous voyons **la constellation du Phénix** (Phœnix) tandis *qu'au Sud de Fomalhaut*, nous avons **la constellation de la Grue** (Grux).

Le ciel d'hiver

Il se caractérise par la présence de la riche **constellation d'Orion**, avec les trois étoiles du **«Baudrier d'Orion»**, presque sur l'équateur.

■ **Au nord**, l'étoile **Capella de la constellation du Cocher**, se trouve au zénith.
□ *Un peu plus au sud*, nous apercevons une constellation du zodiaque, **les Gémeaux** (Gemini), avec **Castor** et **Pollux**. Elle contient un amas ouvert, visible à l'œil nu, mais surtout avec des jumelles.
□ *Orion resplendit au-dessus de l'équateur*. En plus d'étoiles remarquables, elle contient **la Nébuleuse d'Orion**, visible à l'œil nu comme une tache diffuse.

■ **Au sud**, nous voilà en plein été. **Orion** s'y dresse haut dans le ciel. **Les Trois Rois** nous montrent la direction de **Sirius**, dans **le Grand Chien**, (Canis Major).
□ *Au sud de Sirius*, voilà **Canopus** de **la Carène** (Carina), à côté de **la constellation de la Voile** (Vela), dans la Voie Lactée.
□ *Depuis Rigel, dans Orion*, s'étire en de multiples méandres, une des plus longues constellations du ciel, **le Fleuve Eridan** (Eridanus) qui, au sud, se termine par la lumineuse **Achernar**.

Le ciel du printemps

■ **Au nord**, la **Grande Ourse** n'est pas loin du zénith. Sa queue nous donne la direction d'**Arcturus** (dans **le Bouvier**, Bootes), étoile orange, la plus lumineuse de l'hémisphère nord. Au début de l'année, le Bouvier est riche en météores.
□ *Près de l'écliptique, vers l'est*, nous apercevons **la constellation du Lion** et celle de **la Vierge** (au sud d'Arcturus). L'étoile **Spica** (l'épi) tire son nom du fait que la Vierge tiendrait un épi à la main.
□ Arcturus et Spica forment avec **Regulus** (Constellation du Lion) le «**Triangle du Printemps**» bien utile pour notre orientation.

■ **Au sud**, sous le Triangle du Printemps, s'étend la plus longue constellation du ciel, **l'Hydre** (Hydra), dont la tête est au nord de l'équateur, le corps au sud. Elle ne contient pas d'étoiles particulières, mais, au télescope, on y décèle une belle galaxie spirale.

☐ *Encore plus bas, dans la Voie Lactée*, nous reconnaissons les deux étoiles de **la constellation du Centaure**, alpha et bêta, qui nous indiquent **la Croix du Sud**. **Alpha du Centaure** est l'étoile la plus proche de nous (4,3 années-lumière).

☐ *Plus à l'est*, nous retrouvons **la Voile, la Carène** et **la «Fausse Croix»**.

Le ciel d'été

La Voie Lactée traverse la voûte céleste du nord au sud.

■ **Au nord**, la belle étoile bleue **Vega** brille au zénith.

☐ *Près de celle-ci, dans la Voie Lactée*, se dresse la belle **constellation du Cygne**, qu'on appelle parfois **la Croix du Nord**. A l'une de ses extrémités, se trouve une autre étoile très lumineuse, **Deneb**.

☐ *Plus bas que le Cygne, dans la Voie Lactée*, nous voyons **l'Aigle** (Aquila) qui survole l'équateur et se distingue par une autre étoile très brillante, **Altaïr**.

☐ Vega, Deneb et Altaïr composent **le Triange d'Eté**, une autre formation remarquable du ciel. Signalons encore **la constellation géante Hercule**, célèbre pour son amas globulaire M13, et à côté de celle-ci, la jolie **Couronne Boréale**.

■ **Au Sud** de l'Equateur, **Antarès**, dans **le Scorpion**, brille d'un éclat rougeâtre. D'un diamètre plusieurs centaines de fois supérieur à celui du Soleil, elle surmonte la queue du Scorpion qui piqua mortellement Orion (sic).

☐ *Près du Scorpion*, se trouve une autre constellation zodiacale, celle du **Sagittaire** qui s'étend dans une région particulièrement dense de la Voie Lactée. En plus de plusieurs belles étoiles, on peut y distinguer, à la jumelle, plusieurs objets intéressants, tels que nébuleuses et amas stellaires.

Le ciel d'automne

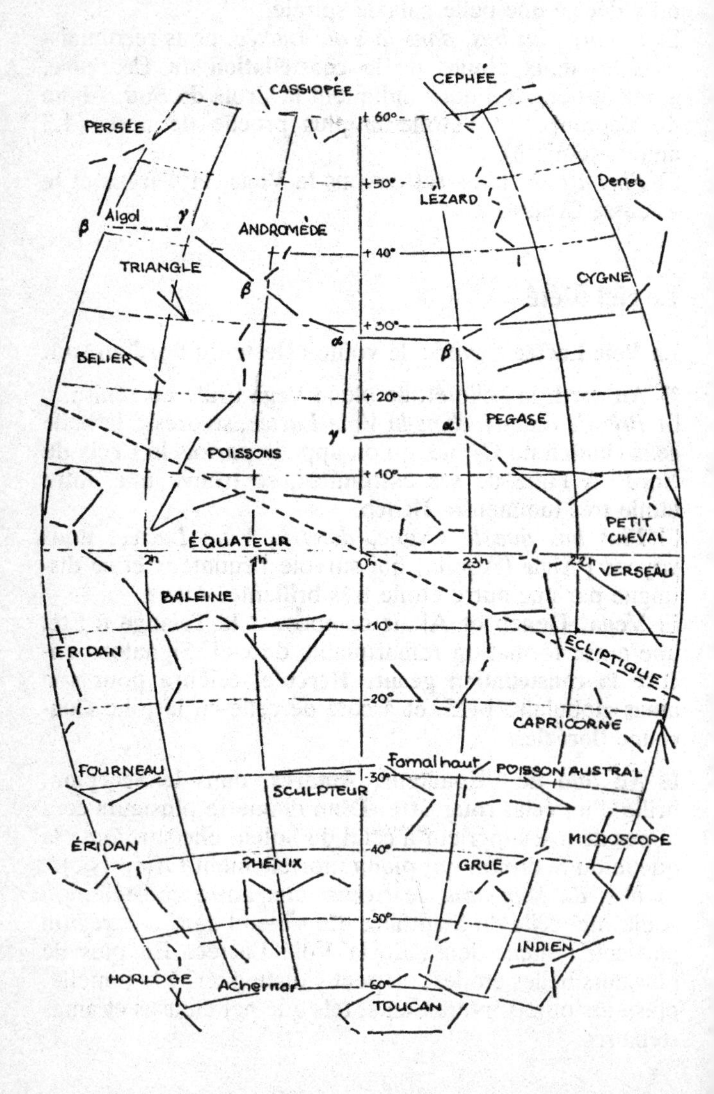

Le ciel d'hiver

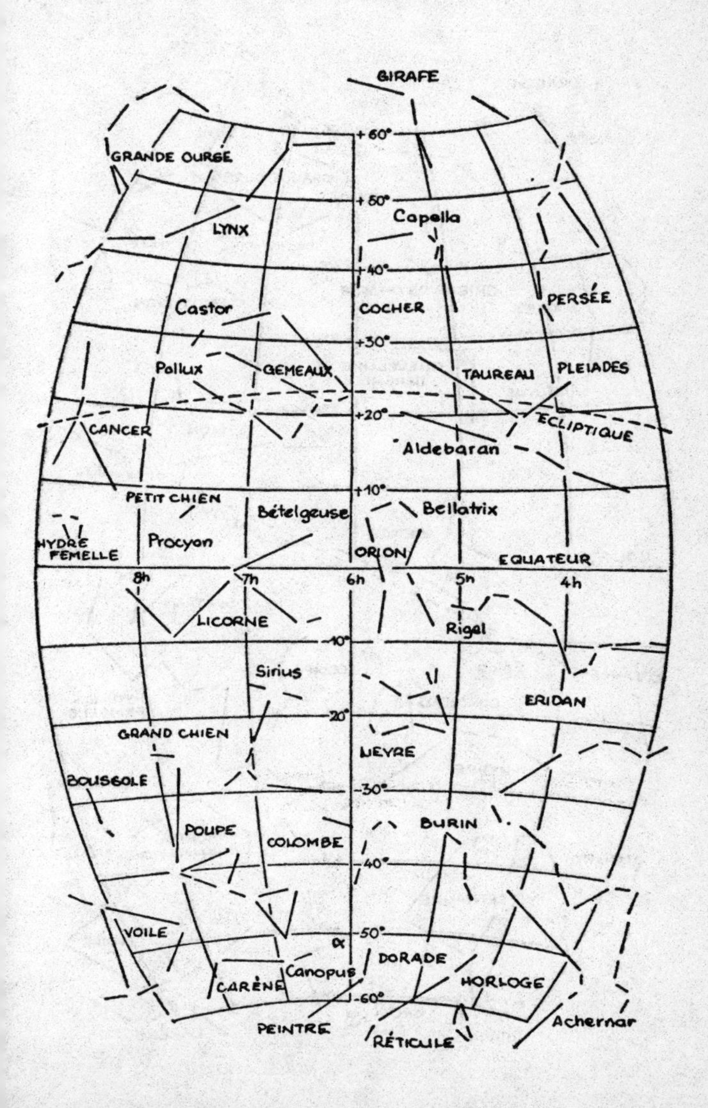

Le ciel de printemps

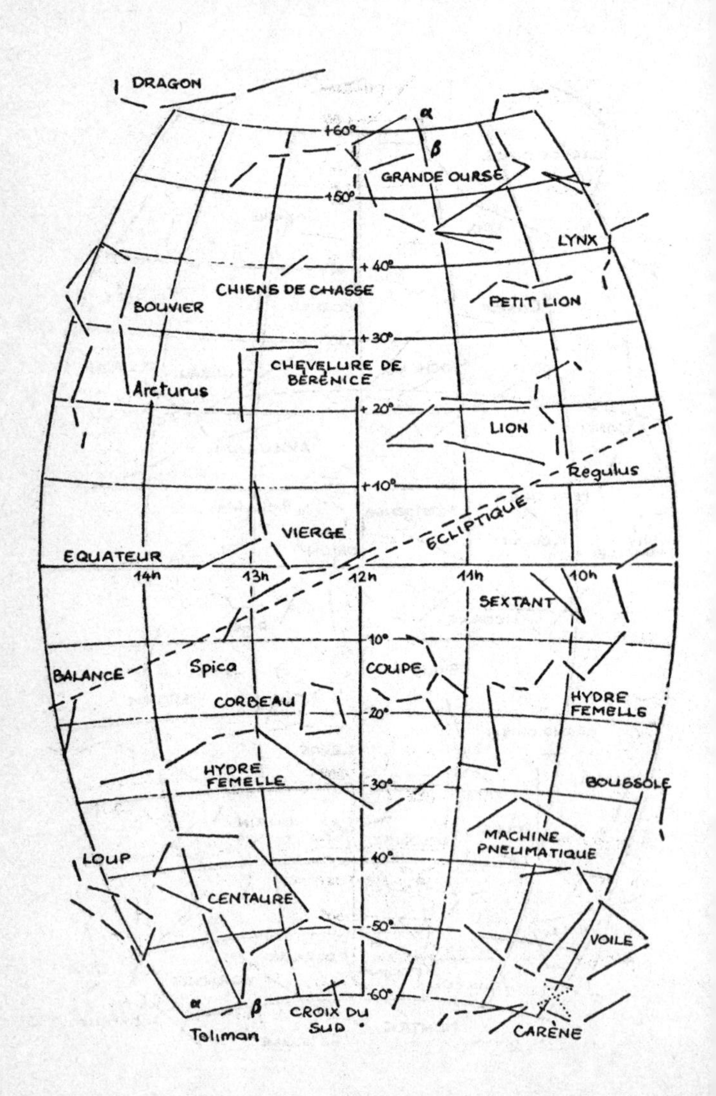

Le ciel d'été

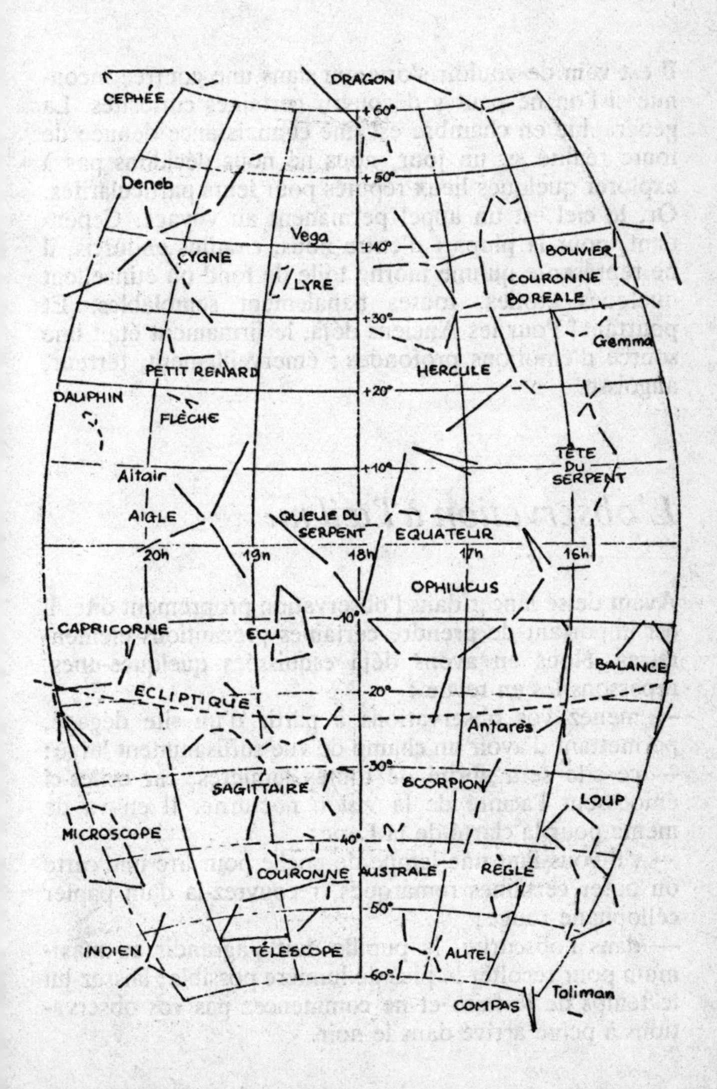
CEPHÉE
DRAGON
+60°
+50°
Deneb
Vega
+40°
CYGNE
BOUVIER
LYRE
COURONNE
BOREALE
+30°
Gemma
PETIT RENARD
HERCULE
+20°
DAUPHIN
FLÈCHE
TÊTE
DU
SERPENT
+10°
Altair
AIGLE
QUEUE DU
SERPENT
EQUATEUR
20h
19h
18h
17h
16h
OPHIUCUS
-10°
CAPRICORNE
ECU
BALANCE
ECLIPTIQUE
-20°
Antarès
-30°
SAGITTAIRE
SCORPION
LOUP
MICROSCOPE
-40°
COURONNE
AUSTRALE
RÈGLE
-50°
INDIEN
TÉLESCOPE
AUTEL
-60°
Toliman
COMPAS

L'observation du ciel

Il est vain de vouloir s'orienter dans une contrée inconnue si l'on ne peut y découvrir certaines curiosités. La géographie en chambre est une connaissance dénuée de toute réalité si, un jour, nous ne nous décidons pas à explorer quelques lieux réputés pour leurs particularités. Or, le ciel est un appel permanent au voyage. Cependant, pour la plupart d'entre nous, citadins endurcis, il ne représente qu'une morne toile de fond où étincellent quelques étoiles, toutes banalement semblables. Et pourtant! Pour les Anciens déjà, le firmament était une source d'émotions profondes : émerveillement, terreur, angoisse.

L'observation à l'œil nu

Avant de se lancer dans l'observation proprement dite, il est important de prendre certaines précautions élémentaires. Nous en avons déjà esquissées quelques-unes, repassons-les en revue :
— menez vos observations à partir d'un site dégagé, permettant d'avoir un champ de vue suffisamment large;
— ce site sera abrité de toutes lumières, car celles-ci émoussent l'acuité de la vision nocturne. Il en va de même pour la clarté de la Lune;
— s'il vous faut une lampe de poche pour lire une carte ou noter certaines remarques, recouvrez-la d'un papier céllophane rouge;
— dans l'obscurité, la pupille doit s'agrandir au maximum pour récolter le plus de lumière possible; laissez-lui le temps de le faire et ne commencez pas vos observations à peine arrivé dans le noir.

— consultez au préalable la carte saisonnière pour pouvoir choisir un repère céleste et savoir quelles constellations sont visibles à cette époque de l'année ;
— l'œil aussi est soumis à la fatigue et la vision s'en ressent, accordez-lui quelques pauses plutôt que de le forcer inutilement.

La couleur des étoiles

Une des premières surprises qui vous attend concerne la couleur des étoiles. Celles-ci ne sont pas uniformément blanches comme on le croit souvent et certaines d'entre elles brillent d'un éclat très coloré.

Dans la constellation d'Orion, deux étoiles nous donnent une idée de cette diversité : **Bételgeuse** est une étoile rouge tandis que **Rigel** est bleue. *Dans le Cocher*, **Capella** est jaune or comme notre Soleil et il n'est pas rare de voir des couples d'étoiles très rapprochées dont les couleurs différentes ne les empêchent pas de cohabiter.

Nous apprendrons plus tard qu'en dehors de l'aspect esthétique de la chose, les couleurs des étoiles sont, en astrophysique, une indication importante sur la température de ces boules de feu et l'état de leur matière.

L'éclat

Le ciel est immuable et les astres restent pareils à eux-mêmes. Voilà une autre idée largement répandue dans le public. Un observateur attentif du ciel sait qu'il n'en est rien.

Il est des étoiles qui paraissent affectées d'une pulsation plus ou moins rapide qui entraîne une variation notable de leur éclat. On les appelle des étoiles variables. Dans un chapitre ultérieur, nous verrons quels sont les phénomènes physiques responsables de ces variations de luminosité.

La meilleure façon de suivre ces variations est celle-ci.

Près de l'étoile variable, choisissons quelques étoiles dont l'éclat nous est connu. Elles nous serviront de référence pour comparer, à différents moments, l'éclat de l'étoile variable et suivre ainsi son évolution lumineuse. Les observations doivent parfois s'étendre sur plusieurs jours. Patience...

■ **Quelques étoiles variables visibles à l'œil nu**

□ **Delta dans Céphée** : le prototype de la classe des «céphéides». En un peu plus de cinq jours, elle passe de la magnitude 3,7 à la magnitude 4,4 (la magnitude donne une mesure de l'éclat de l'étoile; plus le chiffre est élevé moins l'étoile brille. Nous verrons cette notion plus en détail par la suite).

□ L'étoile **Algol (bêta de Persée)** est typique de ce qu'on appelle les variables à éclipses (dans un couple d'étoiles, quand la plus faible passe devant l'autre, l'éclat total diminue; quand elles sont côte à côte, il augmente). Ainsi, tous les trois jours, l'éclat passe de la magnitude 2,2 à 3,5.

□ **Bételgeuse**, l'étoile rouge d'**Orion**, varie de façon irrégulière entre les magnitudes 0,4 et 1,3 mais sur un laps de temps très étendu.

□ Il existe encore des *variables explosives* (novae) qui voient leur éclat multiplié plusieurs milliers de fois avant de revenir à leur état initial. Mais c'est un phénomène très rare consigné dans les annales astronomiques.

Les amas d'étoiles

A certains endroits du ciel, les étoiles se regroupent pour atteindre une densité plus ou moins grande, comme les humains dans les concentrations urbaines. Ces villes stellaires, on les appelle des amas d'étoiles.

■ Les **amas ouverts** se composent d'un nombre relativement restreint d'étoiles (de quelques centaines à quelques millions) et se situent à l'intérieur du disque galactique. Ils se présentent à notre regard comme un petit groupe d'étoiles fortement concentrées.

□ Les plus célèbres amas sont ceux des **Hyades** et des **Pléiades**, *à proximité d'Aldébaran dans le Taureau*. La légende attribue une influence bénéfique aux Pléiades, ces «Sept Sœurs» (sept étoiles sont bien visibles) que les astronomes désignent comme M45 (45e objet du catalogue Messier). On peut les rechercher de septembre à avril. Les Hyades sont un peu plus dispersées. Ce sont les demi-sœurs des Pléiades.

□ **L'amas de Praeseppe** (M44), surnommé **la «Ruche»**, apparaît comme une tache diffuse *dans la constellation du Cancer*.

Citons encore le **double amas dans Persée**.

■ Il existe certains amas présentant la forme d'une sphère où le nombre des étoiles peut s'élever à 100 000 ou plus encore. Ce sont les **amas globulaires**. Ils se situent *autour du disque galactique*.

□ Le plus célèbre *au nord* est celui situé *dans la constellation d'Hercule* (M 13).

□ *au sud*, un amas remarquable est M5 *dans le Serpent*.

Les planètes

Celles-ci n'entrent pas véritablement dans notre propos, puisque ce ne sont pas des étoiles. Quelques remarques nous semblent cependant de circonstance pour qui observe le ciel

□ *Leurs trajectoires se situent le long de l'écliptique, dans la bande zodiacale*. Une fois connues les constellations du zodiaque, il est alors aisé de repérer les planètes puisque les revues spécialisées en donnent la position tout au long de l'année.

□ *Les planètes ne scintillent pas comme les étoiles semblent le faire*. Ce scintillement n'est pas une propriété intrinsèque aux étoiles; il est dû à l'atmosphère terrestre que traversent les rayons stellaires avant de nous atteindre. Cette atmosphère représente un milieu non-homogène, avec un fort indice de réfraction.

Les planètes se présentent à nous sous forme de petits disques dont chaque point de la surface scintille indépendamment de l'autre, et pas simultanément. La somme de ces variations reste constante, l'éclat aussi. La distance d'une étoile ne permet pas ces compensations, sa surface visible est trop petite.

■ **Mercure** et **Vénus**, les planètes intérieures (entre le Soleil et la Terre), sont facilement visibles à l'aube ou au crépuscule, juste avant le lever du Soleil ou juste après son coucher.

■ Les autres planètes visibles sont : **Mars**, ayant reçu le nom du dieu de la guerre en raison de sa couleur rouge; **Jupiter**, la planète géante de notre système, dont l'éclat est d'un jaune brillant; et enfin **Saturne**, peut-être la plus jolie planète, de par sa couleur ocre et ses célèbres anneaux.

L'observation à l'aide de jumelles

Voilà un instrument à la portée de tous et qui nous ouvre déjà bien des portes dans le ciel. Il est idéal pour qui veut se lancer dans une exploration attentive de différents phénomènes.

Idéal en ce qu'il respecte la vision stéréoscopique de nos yeux, idéal en ce qu'il couvre une grande largeur de champ, nous permettant ainsi d'embrasser d'un seul coup d'œil une large étendue du ciel.

Choix de l'instrument

On déconseille généralement les **jumelles de théâtre.** Elles sont sans doute assez lumineuses et pratiques, de par leur petite taille. Mais elles souffrent de deux handicaps pour l'observation du ciel : leur grossissement est vraiment trop faible et leur champ de vision trop réduit.

Voilà pourquoi les **jumelles à prismes** sont de loin supérieures aux précédentes. Des prismes y sont placés entre l'oculaire et l'objectif; le rayon lumineux est en quelque sorte plié sur lui-même, ce qui permet d'éviter des jumelles trop longues.

Sur toutes les montures de jumelles, on trouve deux nombres tels que 7 × 50, 8 × 30, dont le premier définit le grossissement et le second le diamètre de l'objectif. Les jumelles 7 × 50 semblent les plus indiquées pour un astronome amateur qui débute. Il faut se méfier des grossissements plus importants qui risquent de diminuer la luminosité de l'instrument. C'est celle-ci qu'il faut rechercher avant tout.

Réglage

Trois opérations déterminent la précision de la vision :
— pour régler l'oculaire gauche, fermez l'œil droit, et tournez la molette centrale jusqu'à ce qu'un objet choisi soit suffisamment net;
— de même, pour l'oculaire droit, fermez l'œil gauche, et tournez la bague oculaire de droite;
— réglez l'écartement des branches pour que les deux images coïncident exactement.

Cette mise au point étant faite, nous voilà sur le point de balayer le ciel à la recherche de nouvelles étoiles. C'est alors qu'il faut tenir compte du fait que les jumelles se tiennent à la main et, très vite, un tremblement involontaire des bras brouillera la vue, et ce d'autant plus que le grossissement sera plus élevé.

Il est sage de prévoir un appui pour l'instrument (appui de fenêtre, balustrade) ou encore de s'asseoir en serrant entre ses jambes un bâton, le manche d'un outil, qui fera office de pied pour les jumelles. On peut aussi fixer un trépied.

Peu importe le moyen, mais la fixité de l'appareil est indispensable si on veut bénéficier d'une bonne vision.

Que regarder ?

Les jumelles nous rendent visibles des étoiles bien plus faibles que celles de sixième magnitude, limite imposée au meilleur regard. C'est ainsi que des jumelles 7 × 50 peuvent atteindre des étoiles de 9e magnitude.

■ Une observation non dénuée d'intérêt est celle des **étoiles doubles** très écartées, là où nos yeux ne pouvaient les distinguer l'une de l'autre.

Exemples : gamma de la Petite Ourse, Alcor et Mizar dans la Grande Ourse, thêta d'Orion, etc.

■ Un spectacle céleste d'une grande beauté est celui de la **Voie Lactée.** Elle se présente à nos yeux comme une arche blanchâtre traversant la voûte céleste, arche plus ou moins élevée selon le lieu et l'heure de l'observation.

Les jumelles vous y feront découvrir une extraordinaire concentration d'étoiles trop serrées pour être résolues à l'œil nu. En balayant la Voie Lactée, vous rencontrerez des régions plus clairsemées que d'autres et constaterez que la distribution d'étoiles n'y est pas régulière. C'est en regardant dans le plan de la Galaxie, vers le centre, que la concentration est la plus forte.

■ L'observation des **amas d'étoiles,** comme les Pléiades ou les Hyades se révèle beaucoup plus instructive avec des jumelles. Citons aussi les amas d'Hercule, du Centaure et du Toucan. Chacun se révèle comme un système de milliers de soleils rattachés les uns aux autres dans un système gravitationnel.

■ Les **nébuleuses gazeuses** méritent aussi d'être contemplées aux jumelles. Nous y découvrons les larges méandres de la matière gazeuse illuminée par les étoiles qui y brillent. La plus fameuse est celle d'Orion (M 42). Une autre célèbre est celle de la Tarentule, dans la Dorade, près du Grand Nuage de Magellan.

■ D'autres nébuleuses se composent de poussière interstellaire et absorbent la lumière des étoiles situées derrière elles. Semblables à de sombres gouffres, on les appelle des **nébuleuses obscures.** Les plus connues sont le Sac à Charbon dans la Croix du Sud et le Sac à Charbon septentrional, dans le Cygne.

■ Les jumelles sont encore précieuses pour suivre les **variations de luminosité des étoiles variables** dont on a déjà parlé.

Observation à l'aide d'une lunette

Celui pour qui l'observation du ciel et de ses mystères n'est pas qu'un passe-temps de quelques soirs, celui qui, en amateur éclairé, désire réellement s'initier à l'étude astronomique, celui-là se devra d'acquérir un instrument plus performant qu'une simple paire de jumelles. Il s'oriente alors vers l'acquisition d'une lunette qui, avec le téléscope, sera responsable de progrès fulgurants dans la science astronomique.

Dans le chapitre consacré aux instruments de l'astronomie, nous expliquerons en détail la nature de chacun de ces instruments. Mais, voyons très brièvement quels en sont les principes de base. Ils sont d'une grande simplicité. Deux éléments essentiels les composent : l'objectif et l'oculaire. *L'objectif récolte la lumière de l'objet observé tandis que l'oculaire en agrandit l'image.*

Ce qui distingue fondamentalement une lunette d'un téléscope c'est que, pour ce dernier, les rayons lumineux sont recueillis par un miroir tandis que l'objectif de la lunette se compose d'une lentille de verre ou d'un jeu de lentilles. Les lunettes sont des réfracteurs tandis que les téléscopes sont des réflecteurs.

Caractéristiques de l'instrument

a - Le grossissement
On a souvent tendance à définir un instrument par ce facteur alors que, pour l'observation du ciel, celui-ci est secondaire : en effet, une image qui serait grossie à outrance deviendrait vite sombre et floue. Mieux vaut une petite image bien nette.

On détermine le grossissement par le rapport des distances focales de l'objectif et de l'oculaire. *La distance focale est la distance entre l'objectif et le point où se rencontrent les rayons lumineux pour former l'image.* Ce point s'appelle le foyer. Ainsi, pour une lunette avec une distance focale de 120 cm et un oculaire de distance focale de 1 cm, le grossissement sera :

G = 120 : 1 = 120.

Selon l'oculaire choisi, le grossissement sera naturellement plus ou moins important. Plus la distance focale de l'oculaire est courte, plus le grossissement est élevé. Si, pour la lunette considérée ci-dessus, la focale de l'oculaire est ramenée à 1/2 cm, le grossissement sera de 120 divisé par 1/2, soit 240.

Mais, répétons-le, il ne sert à rien de rechercher un grossissement maximal qui ne tiendrait pas compte du diamètre de l'objectif et donc, de la lumière qu'un instrument peut recueillir. On considère qu'un grossissement utile se situe entre 10 et 15 fois le diamètre de l'objectif exprimé en centimètres. Pour un objectif de 10 cm, le grossissement se situerait entre 100 et 150.

Pour utiliser une lunette avec un rendement optimal, il

est conseillé de disposer de plus d'un oculaire. On en choisira un en fonction de l'observation à faire. Quand on veut observer un champ relativement large (amas d'étoiles, nébuleuses) on prendra un oculaire faible, avec un grossissement restreint. Tandis que l'observation d'objets ponctuels, tels que des étoiles doubles très rapprochées, nécessitera un oculaire fort.

b - **Le diamètre de l'objectif** ou **ouverture**

C'est sans doute le critère essentiel dans le choix d'un instrument car c'est lui qui détermine quelques paramètres essentiels.

□ *La clarté*

Elle dépend directement du diamètre de l'objectif comparé à celui de la pupille qui, la nuit, peut atteindre 6 mm. Elle s'exprime sous le rapport suivant :

C = D2 : d2

où **D** est le diamètre de l'objectif, **d** celui de la pupille.

C'est de l'ouverture que dépend la limite de visibilité des étoiles. Ainsi, l'œil, avec ses 6 mm d'ouverture, ne peut percevoir des étoiles au-delà de la sixième magnitude alors qu'un objectif de 50 mm pourra discerner des étoiles bien plus faibles, de neuvième magnitude.

□ *Le pouvoir séparateur*

Voici une autre caractéristique essentielle de l'instrument. C'est la capacité de distinguer les petits détails ou de dissocier deux étoiles très rapprochées.

En théorie, le pouvoir séparateur est exprimé sous la forme suivante :

PS = 12 : D

D étant le diamètre, calculé en centimètres.

Le résultat est une grandeur angulaire, exprimée en secondes. Plus cette valeur diminue, plus le pouvoir séparateur augmente. Pour l'œil, il s'élève à 60 secondes, ce qui veut dire que nous ne pourrons séparer deux étoiles dont la distance angulaire serait inférieure à une minute.

Par contre, une lunette ayant un objectif de 6 cm aurait un pouvoir séparateur théorique (appelé aussi *limite de résolution*) de :

12 : 6 = 2".

Mais, en fait, cette valeur n'est pas atteinte et on a coutume de multiplier ce résultat par 2 pour être plus proche de la réalité. Le pouvoir séparateur de cette lunette de 6 cm sera donc de 4" ; l'instrument peut dédoubler deux étoiles écartées de 4" d'arc là où l'œil n'aurait vu qu'une seule étoile.

Le choix d'un instrument

Un astronome en herbe peut obtenir des résultats appréciables avec une lunette de 60 mm qui lui fournira déjà des renseignements précieux sur le monde céleste. Cet instrument bénéficie en plus d'un excellent rapport qualité-prix, ce qui n'est pas à négliger.

Il est important de pouvoir tester l'instrument pour s'assurer de la qualité de l'image obtenue, alors même qu'un nombre croissant de fabricants envahit le marché, parfois plus soucieux de l'aspect extérieur que de la qualité intrinsèque de leur produit.

L'idéal est de pouvoir tester l'instrument directement sur une étoile. L'étoile polaire est tout indiquée puisqu'elle ne bouge pratiquement pas. Après la mise au point, l'image de l'étoile doit se présenter sous la forme d'un point central entouré d'un anneau lumineux, parfois de deux. Il va de soi que la nuit de l'observation doit être pure et dénuée de toute perturbation ou turbulence atmosphériques.

Les étoiles doubles offrent une autre façon d'éprouver la qualité de l'objectif. L'instrument doit facilement les dédoubler.

Enfin, il paraît indispensable de choisir un objectif achromatique, composé de deux ou trois lentilles, qui se neutralisent l'une l'autre. L'image doit être parfaitement nette, dénuée de reflets colorés étrangers ou rayonnement lumineux émis par l'astre.

La réalisation d'une lunette

Peut-être certains seront-ils intéressés de savoir que la construction d'une lunette très simple est chose relativement facile.

Un bon opticien se chargera de lui fournir les lentilles. Pour l'objectif, on peut par exemple prendre une lentille convexe d'une dioptrie environ et de 5 cm de diamètre. Pour l'oculaire, on en prendra une plus petite, de 20 ou 25 mm.

Il nous faudra encore un tube de carton rigide d'un mètre de long et de 5 cm de diamètre, et un autre de 15 cm, capable de s'emboîter dans le premier. On aura soin que l'intérieur du tube soit noirci.

A l'extrémité du long tube, fixons la grande lentille, la petite sera fixée sur le tube plus court. En faisant coulisser l'une dans l'autre, nous réglons la mise au point. Cette lunette sera tout ce qu'il y a de plus élémentaire mais elle peut déjà susciter le plaisir de l'observation du ciel.

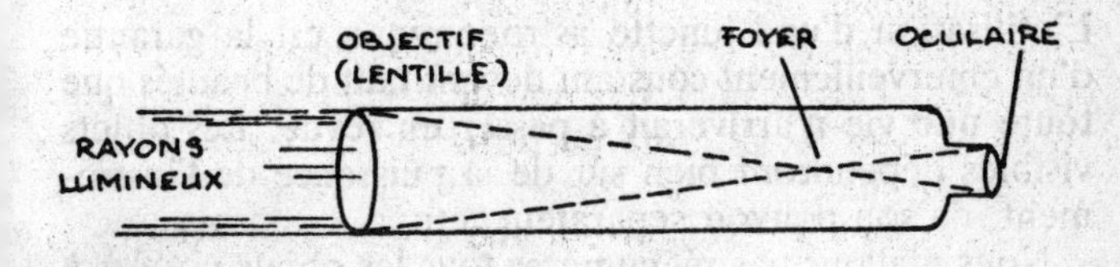

Lunette ou réfracteur.

Conseils d'utilisation

■ *Il est essentiel d'assurer la stabilité de l'instrument.* Il sera impensable de le tenir à la main, même si on le dépose sur un support quelconque. Un trépied d'une grande stabilité est donc requis.

Pour les petits instruments non professionnels, on utilise une monture azimutale qui permet de déplacer la lunette sur un axe vertical et sur un axe horizontal, pour suivre le déplacement de l'objet observé.

■ *Il est recommandé de placer l'œil le plus près possible de l'oculaire* afin de ne rien perdre du champ offert. Les porteurs de lunettes sont priés de les retirer et de faire la mise au point qui compensera le défaut des yeux; un myope enfoncera légèrement l'oculaire tandis que l'hypermétrope le tirera vers lui. Seul l'astigmatie ne peut être corrigée de cette façon et nécessite de maintenir le port de lunettes.

■ *Il faut éviter l'agitation atmosphérique.* Des courants d'air froid ou chaud peuvent faire «danser» les étoiles. Des turbulences sont parfois le fait de surfaces, telles que terrasses en ciment, qui emmagasinent la chaleur du Soleil pour la dégager la nuit. Evitez ces surfaces.

Que regarder ?

L'utilisation d'une lunette astronomique est la garantie d'un émerveillement constant devant tant de beautés que toute une vie n'arriverait à passer en revue. Les objets visibles dépendront bien sûr de la puissance de l'instrument, de son pouvoir séparateur, etc.

Nous n'allons pas réénumérer tous les objets visibles à l'œil nu ou avec des jumelles, objets qui, à travers une lunette, nous révèleront des aspects insoupçonnés. Rappelons brièvement quelques phénomènes dignes d'intérêt : systèmes d'étoiles doubles ou multiples (thêta d'Orion est une étoile quadruple; iota de Cassiopée, une étoile triple) dont on appréciera les couleurs respectives, amas d'étoiles (Pléiades, Hyades, Praeseppe dans le Cancer, l'amas d'Hercule ou celui de Cassiopée), nébuleuses d'Andromède, d'Orion ou de la Lyre...

L'éclat des étoiles

Plusieurs fois déjà, nous avons cité le terme de magnitude. Pour le comprendre, il n'est pas besoin de longues explications : un regard fugace vers le ciel nous fait réaliser que les étoiles ne brillent pas toutes de la même façon. Certaines se font si timides qu'on a de la peine à les distinguer, d'autres au contraire s'imposent d'office à nous. Notre regard n'en appréhende que 6 ou 7.000 alors qu'elles peuplent les cieux par millier. La notion de magnitude traduit tout simplement l'éclat des étoiles.

La première échelle de magnitude, on la doit à l'astronome grec Hipparque qui recensa un millier d'étoiles en leur attribuant à chacune une magnitude, choisie dans six classes différentes, numérotées de 1 à 6. Les étoiles les plus brillantes étaient de première magnitude, les plus faibles de sixième magnitude.

Cette estimation des intensités lumineuses des étoiles était quelque peu vague et imprécise. Or, toute science se doit de quantifier rigoureusement les phénomènes qu'elle étudie. C'est ainsi qu'en 1850, Pogson se proposa d'établir une définition plus scientifique de la magnitude.

Dans le **système de Pogson,** universellement adopté depuis lors, une étoile de première magnitude est 100 fois plus brillante qu'une étoile de sixième magnitude. Il en découle qu'une étoile donnée est exactement $\sqrt[5]{100}$ = 2,512 fois plus brillante qu'une étoile de la magnitude suivante. Une étoile de première magnitude sera 100.000 fois plus brillante que celle de 16e magnitude et ainsi de suite. Quand on sait que les plus grands téléscopes appréhendent des étoiles de magnitude 21, on ne peut que rester confondu par le peu de choses que les humains perçoivent à l'œil nu.

Certaines étoiles sont encore plus brillantes que celles de magnitude 1. On leur décerne une magnitude négative. Ainsi, *Sirius*, l'étoile qui brille le plus dans le ciel, a la magnitude – 1,5 ; *Canopus*, la vice-championne des éclats, a la magnitude – 0,8. Celle du Soleil, l'étoile la plus proche, est de – 26,8.

Une paire de jumelles nous permet d'atteindre la magnitude 8 et de voir ainsi 32.000 étoiles. Une petite lunette, avec un objectif de 75 mm, élèvera ce nombre à 700.000.

■ Les 20 étoiles les plus brillantes du ciel

Sirius	—	α *Canis Majoris*	— 1,5
Canopus	—	α *Carinae*	— 0,8
Alpha	—	α *Centauri*	— 0,3
Arcturus	—	α *Bootis*	— 0,1
Vega	—	α *Lyrae*	0,1
Capella	—	α *Aurigae*	0,2
Rigel	—	β *Orionis*	0,3
Procyon	—	α *Canis Minoris*	0,4
Achernar	—	α *Eridani*	0,6
		β *Centauri*	0,8
Altair	—	α *Aquilae*	0,8
Bételgeuse	—	α *Orionis*	0,9
		α *Crucis*	1
Aldébaran	—	α *Tauri*	1
Pollux	—	β *Geminorum*	1,2
Spica	—	α *Virginis*	1,2
Antares	—	α *Scorpii*	1,2
Fomalhaut	—	α *Piscis Australis*	1,2
Deneb	—	α *Cygni*	1,3
Regulus	—	α *Leonis*	1,3

Les constellations

Nous le savons, le regroupement des étoiles en constellations remonte à la plus haute antiquité. Le ciel était le théâtre d'affrontements sanglants où dieux et dragons se disputaient le partage du ciel.

Les premiers noms de constellations nous proviennent de la Mésopotamie qui nous a légué la première division du zodiaque en douze segments, déterminant ainsi la division de l'année en douze. Chinois et Egyptiens attribuèrent aussi leurs noms aux constellations. Les Grecs, un peu plus tard, firent de même, et c'est leur système qui survécut.

Il faudrait un volume entier pour parcourir les nombreuses légendes qu'illustrent les constellations définies par les Grecs et la Voie Lactée elle-même serait née de quelques gouttes de lait que Hercule bébé, laissa échapper du sein de sa mère, Junon.

Toute géographie, terrestre ou céleste, ne peut se passer de délimitations strictement établies même si, dans le ciel, il ne faut pas s'attendre à un conflit pour une question de frontières.

En 1922, au premier congrès de l'Union Astronomique Internationale (U.A.I.), il fut décidé d'arrêter le nombre des constellations à 88 et de garder leurs noms latins (traduits en grec). Au cours des réunions suivantes (1925 et 1928), on définit avec précision les limites de ces constellations suivant les arcs de méridiens et les parallèles. Ces délimitations ne sont pas toujours simples car il fallait respecter le tracé des constellations pour ne pas devoir changer le nom des étoiles importantes. Mais la précision des frontières permet maintenant de savoir à quelle constellation attribuer une observation quelconque dans le ciel.

Dans chaque constellation, les étoiles sont désignées par les lettres successives de l'alphabet grec, dans l'ordre des éclats décroissants; alpha sera la plus brillante, bêta la suivante, etc. Si les lettres ne suffisent pas, après la dernière, oméga, on prend le système numérique. Comme pour toute règle générale, on trouve des exceptions. Ainsi, l'étoile la plus brillante des Gémeaux n'est pas alpha (Castor) mais bêta (Pollux).

On désigne donc une étoile par une lettre grecque suivie du nom latin de la constellation dont l'U.A.I. a fixé l'abréviation officielle, ce qui n'allait pas de soi (Sge = Sagitta, SG = Sagittarius).

Les constellations australes ont été baptisées bien après les autres, à partir du 17e siècle. Ce qui explique que leurs appellations sont d'une veine plus technique que poétique. Ne nous étonnons donc pas de trouver dans le ciel des objets dont le lyrisme ne saute pas aux yeux : le Microscope, le Téléscope, la Machine Pneumatique, mais aussi le Poisson Volant ou le Peintre. Celui-ci ne pourrait, sans doute, s'empêcher de composer une toile nettement surréaliste.

Les constellations boréales

Nom	Abréviation officielle	Nom français	Nom de l'étoile α (si elle existe)
Andromeda	And.	**Andromède**	Sirrah ou Alpheratz
Aquila	Aql.	**Aigle**	Altaïr
Auriga	Aur.	**Cocher**	Capella (la Chèvre)
Bootes	Boo.	**Bouvier**	Arcturus
Camelopardalus	Cam.	**Girafe**	
Canes Venatici	C vn.	**Chiens de Chasse**	Cor Caroli
Canis Minor	C Mi.	**Petit Chien**	Procyon
Cassiopeia	Cas.	**Cassiopée**	Schedir
Cepheus	Cep.	**Céphée**	Alderamin
Coma Berenices	Com.	**Chevelure de Bérénice**	
Corona Borealis	Cr B.	**Couronne Boréale**	Margarita (les Perles)
Cygnus	Cyg.	**Cygne**	Deneb
Delphinus	Del.	**Dauphin**	
Draco	Dra.	**Dragon**	

Equuleus	Equ.	Petit Cheval	
Hercules	Her.	Hercule	
Lacerta	Lac.	Lezard	
Leo Minor	L Mi.	Petit Lion	
Lynx	Lyn.	Lynx	
Lyra	Lyr.	Lyre	Vega
Ophicicus	Oph.	Serpentaire	Rosalhague
Pegasus	Peg.	Pégase	Markab
Perseus	Per.	Persée	Mirfak
Sagitta	Sge.	Flèche	
Serpens	Ser.	Serpent	Unuk
Triangulum	Tri.	Triangle	
Ursa Major	U Ma.	Grande Ourse	Dubhe
Ursa Minor	U Mi.	Petite Ourse	Polaris (Polaire)
Vulpecula	Vul.	Petit Renard	

Les constellations australes

Nom	Abréviation officielle	Nom français	Nom de l'étoile α (si elle existe)
Antlia	Ant.	Machine Pneumatique	
Apus	Aps.	Oiseau de Paradis	
Ara	Ara.	Autel	
Caelum	Cae.	Burin	
Canis Major	C Ma.	Grand Chien	Sirius
Carina	Ca.	Carène	Canopus
Centaurus	Cen.	Centaure	Regil Kentaries
Cetus	Cet.	Baleine	Menkar
Chamaeleon	Cha.	Caméléon	
Circinus	Cir.	Compas	
Columba	Col.	Colombe	Phact
Corona Austrina	Cr A.	Couronne Australe	
Corvus	Crv.	Corbeau	
Crater	Crt.	Coupe	
Crux	Cru.	Croix du Sud	Acrux
Dorado	Dor.	Dorade	

Eridanus	Eri.	**Eridan**	Achernar
Fornax	For.	**Fourneau**	
Grus	Gru.	**Grue**	
Horologium	Hor.	**Horloge**	
Hydra	Hya.	**Hydre femelle**	Alphard
Hydrus	Hyi.	**Hydre mâle**	
Indus	Ind.	**Indien**	
Lepus	Lep.	**Lièvre**	
Lupus	Lup.	**Loup**	
Mensa	Men.	**Table**	
Microscopium	Mic.	**Microscope**	
Monoceros	Mon.	**Licorne**	
Musca	Mus.	**Mouche**	
Norma	Nor.	**Equerre**	
Octans	Oct.	**Octant**	
Orion	Ori.	**Orion**	Bételgeuse
Pavo	Pav.	**Paon**	
Phœnix	Phe.	**Phénix**	
Pictor	Pic.	**Peintre**	
Piscis Austrinus	Ps A.	**Poisson Austral**	Fomalhaut
Puppis	Pup.	**Pouppe**	
Pyxis Nauticus	Pyx.	**Boussole**	
Reticulum	Ret.	**Réticule**	
Sculptor	Scl.	**Sculpteur**	
Scutum Sobiescianum	Sct.	**Ecu de Sobieski**	
Sextans	Sex.	**Sextant**	
Telescopium	Tel.	**Télescope**	
Triangulum Australe	Tr A.	**Triangle Austral**	
Tucana	Tuc.	**Toucan**	Atria
Vela	Vel.	**Voiles**	
Volans	Vol.	**Poisson Volant**	

Les constellations du zodiaque

C'est la bande, de part et d'autre de l'écliptique, que semble suivre le Soleil dans son apparente course annuelle autour de la Terre. Le mot zodiaque provient du grec, *zôon*, animal car la plupart des figures appartiennent au

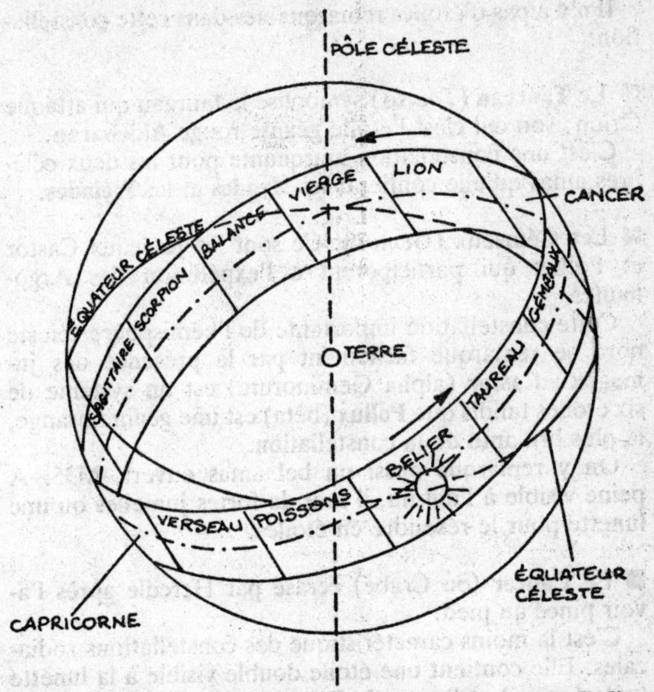

La course apparente du soleil suit les constellations du Zodiaque, le long de l'écliptique (–·–·–).

monde animal, vu sous un angle mythique. Il existe d'autres zodiaques, faisant aussi appel à la mythologie ; le zodiaque chinois en est un exemple.

■ **Le Bélier** (*Aries*). C'est l'animal à la fameuse toison d'or dont voulaient s'emparer les Argonautes.

On a coutume de dire que c'est la première constellation du zodiaque parce qu'elle contient le point vernal, ce qui n'est plus vrai depuis de nombreux siècles, de par le phénomène de la précession (voir page 30). Le Soleil n'entre en fait dans le signe du Bélier qu'à la fin du mois d'avril.

Il n'y a pas d'étoiles remarquables dans cette constellation.

■ Le **Taureau** (*Taurus*) symbolise le taureau qui attaque Orion ; son œil c'est l'étoile géante rouge **Aldébaran.**

C'est une constellation marquante pour les deux célèbres amas qu'elle contient, les **Hyades** et les **Pléiades.**

■ Les **Gémeaux** (*Gemini*). Ce sont les jumeaux Castor et Pollux qui participèrent à l'expédition des Argonautes.

Cette constellation importante de l'hémisphère céleste nord se remarque facilement par la présence des jumeaux : **Castor** (alpha Geminorum) est un système de six étoiles tandis que **Pollux** (bêta) est une géante orange, la plus brillante de la constellation.

On y remarque aussi un bel amas ouvert, M35. A peine visible à l'œil nu, il faut de fortes jumelles ou une lunette pour le résoudre en étoiles.

■ Le **Cancer** (ou Crabe) écrasé par Hercule après l'avoir pincé au pied.

C'est la moins caractéristique des constellations zodiacales. Elle contient une étoile double visible à la lunette (zêta Caucri) et l'**amas de Praeseppe** (ou la Ruche), que l'œil nu perçoit comme une tache brumeuse.

■ Le **Lion** (*Leo*) représente un lion accroupi, avec la «faucille» figurant la tête ou crinière.

Regulus (alpha Leonis) est une belle étoile bleuâtre que Pline appelait la Reine du Ciel. On y trouve aussi un système de deux géantes, l'une orange, l'autre jaune (gamma Leonis).

Les astronomes connaissent cette constellation pour les nombreuses galaxies spirales qu'elle recèle (M65, M66, M95, M96). Il faut des instruments puissants pour les distinguer.

■ La **Vierge** (*Virgo*) figure la déesse de justice Astrée.

On y voit, au sud de l'équateur, la brillante **Spica** et une belle étoile double (gamma Virginis) que l'on distingue avec une petite lunette.

Voici encore une constellation extrêmement riche en galaxies. Un amateur, armé d'une bonne lunette, pourrait y déceler près d'une centaine de galaxies différentes.

■ La **Balance** (*Libra*) symbolise les plateaux de la balance de la Justice.

Elle ne contient pas d'étoile remarquable. Signalons tout de même alpha, une étoile double visible aux jumelles.

■ Le **Scorpion** (*Scorpius*). On dit que sa piqûre fut mortelle pour Orion. C'est une des seules constellations qui épouse quelque peu la forme de l'objet qu'elle désigne.

Une géante rouge, **Antares** (la rivale de Mars par sa couleur semblable), représente le cœur du Scorpion. Son diamètre est plusieurs centaines de fois supérieur à celui du Soleil. Bêta du Scorpion est une étoile double qu'une petite lunette distingue aisément.

Cette constellation repose dans une région de la **Voie Lactée** très fertile en objets divers : étoiles doubles, variables (on en dénombre plus de 750), nébuleuses et amas, dont les plus brillantes sont M6 et M7, ce dernier tout juste visible à l'œil nu.

■ Le **Sagittaire** (*Sagittarius*) représente le Centaure qui tend son arc vers le cœur du Scorpion. C'est dans sa direction que se situe le centre de notre Galaxie.

Cette région de la **Voie Lactée** est aussi d'une grande richesse. On y trouve plusieurs nébuleuses étonnantes dont celle du **Lagon** (M8) ou encore celle connue sous le nom de **Trifide**. De nombreux amas se situent également dans cette constellation (M23, M24, M25).

■ Le **Capricorne** (*Capricornus*) est supposé représenter un satyre au corps de chèvre, avec une queue de poisson.

On ne relève aucun objet digne d'intérêt dans cette constellation. Que les capricornes ne s'en formalisent pas...

■ Le **Verseau** (*Aquarius*) représente un homme agenouillé, versant l'eau d'une jarre.

Elle ne contient pas d'étoiles particulièrement intéressantes mais détient d'autres richesses : l'amas globulaire M2 est des plus aisés à observer avec des jumelles ; on y remarque aussi la plus grande nébuleuse planétaire connue, celle de l'**Hélice**. Peu distincte à l'œil nu, elle apparaît avec un bon instrument sous la forme de deux anneaux brisés (d'où son nom).

■ Les **Poissons** (*Pisces*). Vénus et son fils Cupidon se seraient transformés en poissons pour échapper à Typhon.

Cette constellation, très étendue, est assez dénuée d'intérêt. Rappelons qu'à l'équinoxe de printemps, le Soleil se trouve ici et non plus dans le Bélier.

Les techniques d'investigation

On l'a dit, l'astronomie est une science très ancienne et les débuts de son histoire remontent à plusieurs millénaires. Comment expliquer alors qu'elle balbutia si longtemps et donna du monde une image si peu scientifique ?

Une partie d'explication réside sans doute dans sa trop longue dépendance de systèmes philosophiques ou religieux. Mais il semble que ce soit surtout les moyens dont elle disposait pour explorer l'Univers qui aient guidé son histoire et marqué ses grandes découvertes.

Pour des objets d'observation situés à des distances infranchissables, l'essor de l'astronomie postulait l'utilisation de techniques et d'instruments moins limités que l'œil humain. L'astronomie, privée de l'observation, n'aurait aucune raison d'être. D'autant plus que la manipulation et la vérification expérimentale en laboratoire sont hors de notre portée.

Ces lointains objets que sont les astres entrent cependant en communication avec nous à travers des codes transmis sous forme de rayonnement électromagnétique, d'ondes plus ou moins longues. La longueur de ces ondes varie du kilomètre au millionième de millimètre ; c'est en fonction de leur longueur qu'elles seront plus ou moins capables de nous livrer leur « message », de traverser l'écran de l'atmosphère terrestre.

L'atmosphère limite l'observation

La Terre n'attire pas seulement vers elle tous les corps dont nous sommes, elle garde aussi prisonnière une enveloppe gazeuse qui nous permet de respirer, c'est l'atmosphère. De plus, un élément de l'atmosphère, l'ozone, empêche le rayonnement ultra-violet de venir jusqu'à nous et nous préserve ainsi de brûlures mortelles.

Mais l'astronome, dans son investigation du ciel, considère cette même atmosphère comme un facteur négatif qui limite sérieusement les observations effectuées à partir de la Terre. En effet, l'atmosphère absorbe, diffuse et dévie les rayons qui la traversent.

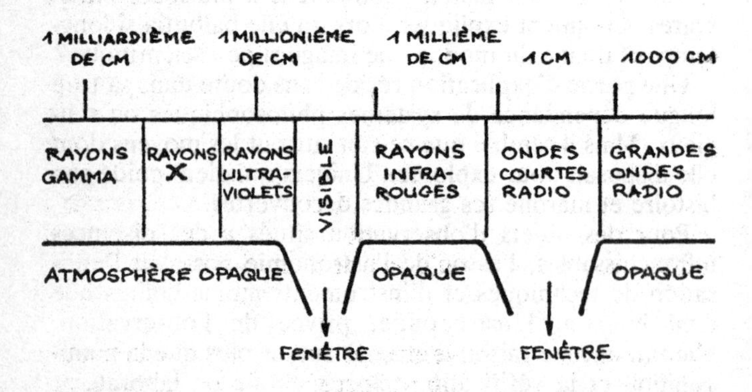

Dans le spectre électromagnétique, seuls le rayonnement visible et le rayonnement radio court nous parviennent sur la terre. Ce qui explique le développement de l'astronomie optique et de la radioastronomie.

■ Examinons d'abord le phénomène d'**absorption** en déployant sur un graphique l'ensemble des rayonnements (le spectre électro-magnétique) émis par les étoiles, et classés selon leur longueur d'onde. Depuis les rayons gamma jusqu'aux grandes ondes radio, on s'aperçoit que l'atmosphère forme un écran opaque pour toutes les longueurs d'onde, sauf deux : le rayonnement visible, soit la lumière perçue par nos yeux, et les ondes radio courtes.

L'atmosphère nous offre ainsi deux petites «fenêtres» à travers lesquelles nous aurons le loisir d'intercepter les rayons des astres et de les étudier. Ne nous étonnons donc pas que l'astronomie optique et la radioastronomie soient deux branches essentielles de l'observation astronomique.

■ La lumière qui nous parvient est soumise à un autre phénomène, celui de la **diffusion**. C'est ainsi qu'une partie de la lumière vient se briser contre les molécules qui encombrent l'atmosphère.

Le rayonnement bleu, de longueur d'onde plus petite que le jaune ou le rouge, subit plus cette diffusion et s'éparpille de tous côtés pour former une apparente coupole bleue.

■ Les rayons lumineux sont enfin déviés sous l'effet de la **réfraction**. Celle-ci sera d'autant plus grande que l'astre se trouve rapproché de l'horizon, du fait de la plus grande couche atmosphérique à traverser. La réfraction peut être importante au point que le Soleil nous reste visible, alors même qu'il est déjà au-dessous de l'horizon.

L'observation se trouve encore limitée par d'autres facteurs tels que l'agitation atmosphérique, la pollution industrielle, les lumières urbaines. C'est ainsi qu'on cherche à placer les observatoires à une certaine altitude, là où l'air est moins dense, et loin de toute agglomération.

Les ballons-sondes permettent de s'affranchir de la

basse atmosphère et d'améliorer certaines observations. Enfin, l'ère de l'astronautique nous ouvre définitivement d'autres perspectives; en 1984, les Américains se proposent de mettre un téléscope sur orbite. Nos yeux s'ouvriront un peu plus sur l'Univers, soyons-en sûrs.

L'astronomie optique

Si le rayonnement solaire nous parvient en abondance, il n'en va pas de même pour les milliards d'étoiles éparpillées dans le cosmos. Ces milliards de soleils sont situés à de telles distances que leur éclat nous parvient à peine perceptible.

Le problème des astronomes sera d'amplifier cet éclat, de récolter toujours plus de lumière. Voilà pourquoi les lunettes et téléscopes ont vu leur diamètre croître au cours du temps. Non seulement on y recueille plus de lumière mais en augmentant aussi le pouvoir de séparation de l'instrument, on peut distinguer des détails très rapprochés.

La lunette

On attribue sa découverte à un opticien hollandais, Lippershey, au début du 17e siècle. Galilée la popularisa en faisant plusieurs découvertes avec un instrument qu'il construisit lui-même et qu'on peut toujours admirer à Florence.

Le principe en est extrêmement simple : les rayons lumineux de l'astre traversent la lentille de l'objectif qui les fait converger en son foyer. L'image obtenue est alors agrandie par une autre lentille, l'oculaire.

On appelle cet instrument un **réfracteur** car la lumière y est réfractée, déviée de l'objectif vers le foyer; cette réfraction est responsable d'un défaut important, quoiqu'il puisse être corrigé en partie. Il provient du fait que la lumière est l'addition des différentes couleurs de l'arc-en-ciel. Chacune de ces couleurs ayant une longueur d'onde différente, il en résulte qu'elles seront déviées inégalement (ainsi le rouge est moins dévié que le bleu) et qu'elle formeront une série de foyers légèrement décalés. C'est ce qu'on appelle l'irisation.

On peut compenser ce défaut en utilisant pour objectif un doublet achromatique, composé d'une lentille convergente et d'une lentille divergente. Les aberrations chromatiques de l'une tendront à compenser celles de l'autre. C'est le principe de la **lunette achromatique.** Il subsiste cependant toujours un léger défaut.

■ La lunette la plus grande au monde est celle de l'observatoire Yerkes aux Etats-Unis. Elle a une ouverture de 102 cm et le tube mesure près de 20 m (19,30 mètres de distance focale). Cet instrument date de 1897 et, depuis lors, on n'en a pas construit de plus grand. En effet, la réalisation d'aussi grands disques de verre exempts de toute imperfection est une tâche extrêmement ardue.

Le support représente un autre problème car il ne peut s'exercer que sur les bords du disque puisque la lumière doit le traverser. Dans ces conditions, le risque est grand de voir ce disque fléchir ou se déformer sous son propre poids.

Le télescope

On l'appelle aussi **réflecteur**. Au lieu de réfracter la lumière à travers une lentille, il la réfléchit au moyen d'un miroir. C'est la distinction fondamentale entre la lunette et le télescope.

■ **Télescope de Newton**

Le principe du télescope fut découvert par Gregory mais c'est Isaac Newton qui construisit le premier en 1671. Il a donné son nom à un type de réflecteurs, très répandu chez les amateurs. Voyons-en le principe.

Au fond d'un tube, un miroir très précisément parabolique recueille la lumière et la réfléchit vers le haut sur un petit miroir-plan incliné à 45° qui, à son tour, la renvoie vers le foyer, et de là, vers l'oculaire chargé de grossir l'image.

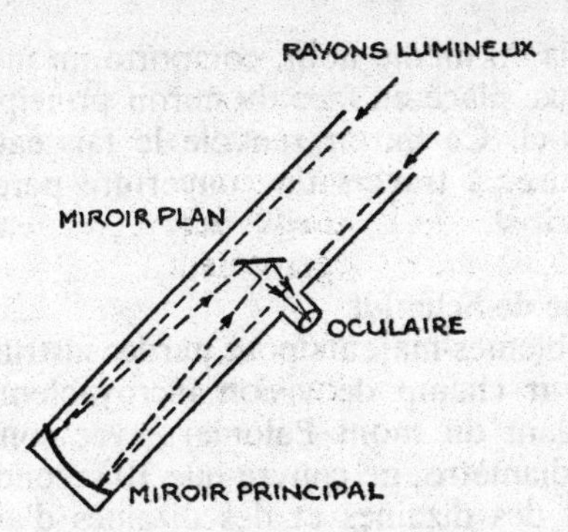

Télescope de Newton.

L'avantage immédiat du télescope par rapport à la lunette est l'absence d'aberration chromatique, du fait qu'un miroir réfléchit toutes les couleurs de la même façon. Les premiers miroirs étaient métalliques. On les réalise maintenant en quartz qu'on recouvre d'une fine couche d'aluminium ou d'argent.

■ Télescope Cassegrain

Il existe d'autres types de télescopes que celui de Newton. Le télescope Cassegrain, imaginé par le physi-

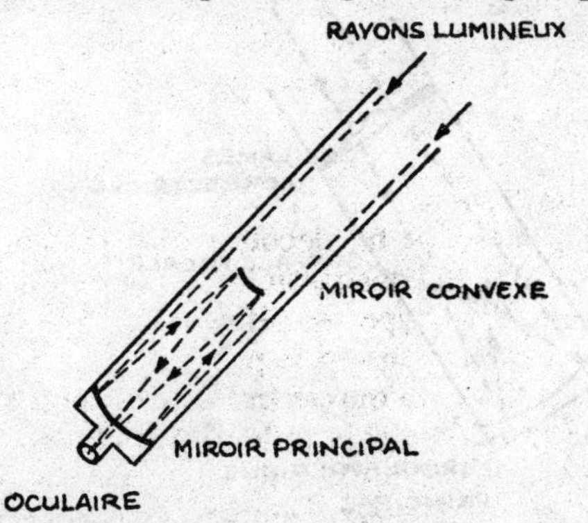

Télescope Cassegrain.

cien français du même nom, comporte un miroir secondaire convexe placé en face du miroir principal et parallèle à celui-ci. Ce miroir renvoie le faisceau lumineux vers l'oculaire, à travers une ouverture percée dans le miroir principal.

■ **Télescope de Schmidt**

Un des problèmes majeurs posé par les instruments optiques est leur champ de vision incroyablement réduit. Ainsi le géant du mont Palomar, avec son miroir de 508 cm de diamètre, ne couvre que 10 secondes d'arc. Il lui faudrait des dizaines et des dizaines d'années pour parcourir l'entièreté de la voûte céleste.

Un nouveau dispositif est venu remédier à cet inconvénient; il fut inventé en 1932 par l'opticien estonien Schmidt. Le miroir principal est sphérique et, pour corriger l'aberration intrinsèque à cette sphéricité, une lame correctrice en verre est placée au sommet de l'instrument. La lumière traverse celle-ci, tombe sur le miroir et est recueillie sur une plaque photographique.

Le télescope de Schmidt est inutilisable pour la vision mais il permet d'avoir sur un seul cliché une très large

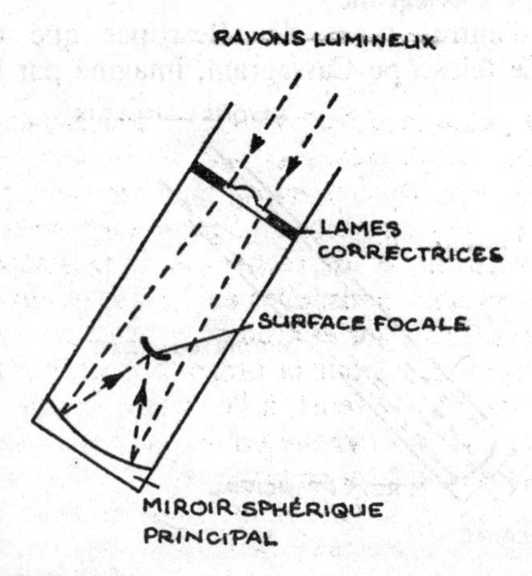

Télescope de Schmidt.

partie du ciel. C'est un instrument de ce type qu'on utilise pour dresser les cartes du ciel.

■ Longtemps, le télescope du mont Palomar fut le plus grand du monde. Mais le gigantisme n'allait pas s'arrêter en si bonne voie. Le record est maintenant détenu par les Soviétiques qui ont réalisé en Géorgie un télescope dont le miroir a un diamètre de 600 cm.

La France possède deux grands télescopes : celui du Pic-du-Midi dans les Hautes-Pyrénées et celui de Haute-Provence. Un télescope franco-canadien de 360 cm est en construction dans l'île d'Hawaii.

Les télescopes sont en passe de supplanter les lunettes pour différentes raisons dont les principales sont l'achromatisme des télescopes et le fait qu'on peut soutenir leur miroir sur toute leur surface arrière puisque les rayons lumineux ne le traversent pas. Pour la lunette astronomique, le problème est de soutenir la masse importante du verre de la lentille par les seuls bords, sans qu'aucune déformation ne s'ensuive..

La photographie

On s'imagine souvent l'astronome passant des nuits entières, l'œil rivé à l'oculaire de son instrument, alors que l'observation visuelle représente une part sans cesse décroissante de l'investigation céleste. La photographie, adaptée à l'instrument de recherche, a la faculté de traduire des impressions visuelles en un document matériel que l'on peut conserver et étudier à loisir.

Elle fut appliquée pour la première fois à l'étude des étoiles par les frères Henri, à l'observatoire de Paris et, depuis lors, elle est devenue un accessoire indispensable de tout observatoire qui se respecte.

La photographie détient un avantage de taille sur l'œil, celui de pouvoir accumuler la lumière pendant plus ou moins longtemps, selon la durée de la pose. Une pose de quelques heures permet à la lumière de s'additionner sur la plaque et révèle des milliers d'étoiles qu'on peut ensuite étudier aussi longtemps que l'on veut et indépendamment des conditions atmosphériques.

Des poses photographiques de plus en plus longues ont permis de reculer la limite de visibilité, d'acquérir des images précises de nébuleuses et de galaxies. La photographie est aussi d'un grand secours pour mesurer rigoureusement les magnitudes stellaires (photométrie) et pour dresser la carte du ciel. Voilà qui explique qu'elle ait supplanté l'observation directe dans beaucoup de domaines. Il est cependant certaines branches où l'œil garde toute sa valeur, nous pensons à l'étude des étoiles doubles et des étoiles variables.

L'analyse spectrale

Nous avons vu comment les lunettes et les télescopes facilitent l'observation des astres en recueillant le maximum de lumière possible.

Cette lumière émise parfois depuis des millions d'années est le seul message visible que nous recevons, du fond du temps et de l'espace. A quoi nous sert-il, ce message, si nous ne parvenons pas à le décoder, à l'analyser? L'analyse spectrale est en quelque sorte la grille de lecture qui nous permet de le lire, c'est elle qui fera de l'astro-physique une science en plein essor.

Rappelons d'abord ce que Newton avait découvert : la lumière blanche du soleil se décompose en plusieurs lumières colorées.

Le **spectroscope** est le dispositif qui disperse cette lumière à travers un prisme et la recueille sur un écran pour former un spectre. En remplaçant l'écran par une chambre photographique, on obtient un **spectrographe.**

Au début du 19e siècle, un physicien allemand du nom de Fraunhoffer, étudiait le spectre solaire quand il s'aperçut qu'il était traversé de nombreuses raies sombres. Il mesura leur position sans savoir à quel phénomène imputer leur présence.

C'est grâce aux principes établis plus tard par Kirchoff qu'on parvint à saisir le pourquoi de ces raies. Tout corps incandescent, qu'il soit solide, liquide ou gazeux, émet un rayonnement sur des longueurs d'ondes extrêmement précises, et on sait que, pour la lumière visible, la longueur d'onde détermine la couleur. Ainsi, chaque atome porté à incandescence produira un certain nombre de raies, toujours les mêmes et rigoureusement définies, qui définissent son spectre. Par exemple, le sodium placé dans une flamme émet deux raies très précises dans la bande jaune du spectre.

Au lieu d'avoir un spectre de raies brillantes (spectre d'émission), on peut trouver un spectre coupé de raies sombres (raies de Fraunhoffer) ; c'est un spectre d'absorption. Un atome peut absorber des radiations, mais seulement sur des longueurs d'ondes égales à celles qu'il peut émettre. Le spectre d'absorption du sodium révèlera deux raies toujours au même endroit, et dans ce cas, elles ne seront plus brillantes, mais sombres.

Le spectre permet donc, dans un cas comme un autre, d'identifier le corps responsable de l'émission de la même façon qu'une voix permet d'identifier les personnes à distance.

Pour en revenir à l'astronomie, l'analyse spectrale allait fournir à cette science et à l'astrophysique en particulier, un outil miracle pour étudier la composition d'autres corps émetteurs, les étoiles. En couplant un spectrographe sur un téléscope, et en recueillant le rayonnement d'une étoile, le spectrographe à lui seul indique de quoi elle se compose, quelle est sa nature chimique. Nous qui désespérions de jamais savoir de quel bois se chauffent les étoiles !

L'analyse spectrale livre bien d'autres renseignements sur ces boules de feu qui brûlent dans le lointain. Elle indique les éléments présents dans l'étoile mais aussi l'abondance de ces éléments, leur température, la pression à laquelle ils sont soumis. Grâce à la spectrographie, en un peu plus d'un siècle, l'humanité peut se vanter d'avoir progressé de façon stupéfiante dans la compréhension de l'infiniment grand et de l'infiniment petit (de l'étoile à l'atome).

■ L'effet Doppler-Fizeau

On ne peut passer sous silence un phénomène important relatif à l'analyse spectrale, phénomène découvert en 1843 par l'Autrichien Doppler et complété plus tard par Fizeau.

Nous savons que la lumière se déplace toujours à la vitesse de 300.000 km/seconde. Mais, nous l'avons vu, les différentes couleurs de la lumière n'ont pas toutes la même longueur d'onde. Si celle-ci diminue, il faudra augmenter la fréquence de l'onde pour arriver toujours à cette même vitesse.

Qu'en est-il de la lumière émise par une source en mouvement ? Procédons par analogie. Un train qui siffle s'approche de nous et le son nous semble de plus en plus aigu ; quand il s'éloigne, le son devient plus grave. Quand il s'approche les ondes se pressent de plus en plus l'une contre l'autre, leur longueur diminue et leur fréquence augmente. Quand il s'éloigne, c'est l'inverse qui se produit.

Il en va de même pour les rayons lumineux. Quand l'astre s'approche, la longueur d'onde du rayon lumineux diminue et les raies spectrales sont déplacées vers le bleu. S'il s'éloigne, les raies sont déplacées vers le rouge. C'est ce qu'on appelle le **décalage spectral.** Du spectre d'une étoile qui serait systématiquement décalé vers le rouge, on pourrait en déduire qu'elle s'éloigne de nous à une vitesse proportionnelle au décalage.

On parle beaucoup de l'effet Doppler car ses applications sont multiples. Il permettra de mesurer la vitesse radiale des étoiles, de mettre en avant le mouvement de rotation des nombreux astres. C'est encore lui qui soulignera la vitesse énorme de récession, l'éloignement progressif, des galaxies lointaines (plus de 100.000 km/sec.). Ceci représentera un argument de poids pour les tenants de la théorie de l'expansion de l'Univers.

La radio-astronomie

Quelles que soient les découvertes de l'astronomie optique, celle-ci ne peut prétendre couvrir qu'une infime partie du spectre électromagnétique. Mais, nous l'avons vu, un autre rayonnement nous parvient, celui des ondes radio.

La radio-astronomie est une technique toute récente puisque c'est en 1931 que Jansky fut le premier à découvrir les ondes radio provenant du centre de la galaxie. Cette découverte était fortuite car Jansky recherchait tout simplement l'origine des parasites gênant les radiocommunications. Depuis lors, la radio-astronomie progresse rapidement et le développement des radars n'est pas étranger à ce progrès.

■ L'instrument de la radio-astronomie est le **radiotéléscope** qui, dans son principe, n'est pas très différent du télescope optique. Mais les ondes radio provenant des étoiles et des galaxies sont très faibles, ce qui explique le gigantisme des surfaces collectrices des radiotéléscopes. Celui d'Effelsberg (R.F.A.) par exemple a un diamètre de 100 mètres.

Cette surface collectrice est un paraboloïde qui focalise les ondes en avant de sa surface où une antenne bipole capte le signal qui est ensuite amplifié et enregistré.

Le radiotéléscope, tout comme son équivalent optique, se caractérise par un pouvoir séparateur en rapport direct avec sa dimension et en rapport inverse de la longueur des ondes reçues. Voilà pourquoi on a réalisé des instruments aussi gigantesques.

Heureusement, d'autres types d'instruments sont réalisables. Ainsi, à Sydney, en Australie, on trouve un collecteur d'ondes radio constitué de cables en forme de croix dont les branches atteignent 500 m.

La radio-astronomie a découvert différentes sources

radio dans l'Univers : le Soleil, des vestiges de supernovae (nébuleuse du Crabe) et d'autres astres quelque peu mystérieux comme les quasars (*quasi stellar radio sources*, voir page 135). Elle nous permet en outre d'explorer, sur ces longueurs d'onde, le centre de la Galaxie qui nous est caché par de gigantesques concentrations de poussières cosmiques.

L'astronomie spatiale

L'atmosphère représente un écran très gênant pour l'observation du cosmos. Les astronomes ont essayé d'amoindrir cet obstacle en installant leurs observatoires en montagne, ils ont aussi placé des instruments à bord de ballons-sondes qui permettaient d'atténuer les effets négatifs de l'atmosphère.

Depuis quelque vingt ans, l'astronomie entre dans une nouvelle phase en bénéficiant des conquêtes spatiales qui ouvrent d'énormes champs de recherche.

Ainsi, dans l'astronomie optique traditionnelle, le lancement de télescopes dans des engins spatiaux permettra, en s'affranchissant de l'atmosphère, d'échapper à la distorsion des images et à la diffusion de la lumière. Le *Space Telescope Program*, mis au point par les Américains, décidera de la mise en orbite, en 1984, d'un télescope de 2,40 mètres qui reculera certainement les limites de sensibilité et de résolution des télescopes au sol.

Nous parlions des fenêtres du spectre électro-magnétique (fenêtre optique et fenêtre radio, voir page 74). Avec l'astronomie spatiale, plus question d'elles. Elle nous entraîne à l'air libre et désormais l'entièreté du spectre nous sera accessible à partir de laboratoires spatiaux : rayons gamma, X, ultra-violets (U.V.) visibles, infra-rouges (I.R.) et rayonnement cosmique.

De nombreux programmes scientifiques sont déjà en cours pour récolter les informations contenues dans tout le spectre. Une nouvelle mutation est en cours, qui accouchera peut-être, une fois de plus, d'une nouvelle image de l'Univers.

L'étude des étoiles

Ecrire un tel chapitre, il y a un siècle seulement, eût relevé de la science-fiction plus que de la science elle-même. Pendant la majeure partie de son existence, l'astronomie s'est cantonnée dans l'étude du système solaire. Qui pouvait alors imaginer que notre nuit était auréolée de milliards de soleils brûlants, les étoiles ? Et que certains de ces soleils étaient des milliers de fois plus brillants que le nôtre ?

Magnitudes absolues, distances et mouvements

Magnitude absolue

Nous avons déjà abordé la notion de magnitude et savons qu'elle correspond à l'éclat des étoiles. Un coup d'œil sur le ciel suffit pour distinguer certaines étoiles très lumineuses, d'autres à peine visibles.

■ **L'échelle de magnitude apparente** (ou visuelle) traduit ces écarts de luminosité avec cette bizarrerie que ce sont les étoiles les plus brillantes qui sont en bas de l'échelle. Rappelons encore que la 6e magnitude représente la limite des étoiles visibles à l'œil nu. Ces magnitudes sont établies avec une grande précision grâce à la cellule photoélectrique.

La construction de télescopes toujours plus puissants, l'introduction de longues poses photographiques ont permis de reculer sans cesse la limite de visibilité des étoiles. Les astronomes étudient des étoiles de 22e magnitude, dont l'éclat ne dépasse pas celui d'une bougie placée à plus de 50.000 kilomètres !

Longtemps, les hommes ont cru qu'il y avait un rapport direct entre l'éclat et la distance d'une étoile : une étoile brillante devait être très proche et vice-versa. Nous voyons qu'il n'en est rien puisque l'étoile la plus proche de nous, Proxima du Centaure, a une magnitude apparente de 11,3 seulement : elle est invisible sans un télescope.

■ **La magnitude absolue** permet de mettre entre parenthèses le facteur distance et de *comparer l'éclat intrinsèque des étoiles, en supposant qu'elles sont toutes à la* *même distance.* Celle-ci est fixée à 10 parsecs, soit 32,6 années lumière.

Cette nouvelle échelle porte un fameux coup à l'éclat d'astres qui se présentaient à nous comme les champions de la luminosité. Notre Soleil aveuglant devient une pâle étoile de magnitude 4,8. A une distance de 32,6 années-lumière, il serait juste visible à l'œil nu. Sirius, l'étoile la plus brillante à nos yeux, voit sa magnitude passer de −1,5 à 1,4.

Par contre, une étoile comme Rigel (bêta d'Orion) voit sa magnitude absolue approcher − 7; elle brille comme 50.000 soleils réunis.

En fait, notre Soleil est une étoile à l'éclat très moyen et cette notion de magnitude absolue nous montre, une fois de plus, qu'il ne peut en rien se prévaloir d'une place d'exception au sein de la population stellaire.

Distances

Unités astronomiques de distance

Nous utilisons le kilomètre pour mesurer les distances sur la Terre ou à l'intérieur de notre système solaire. Mais il faudrait lui ajouter une liste impressionnante de zéros pour définir les distances cosmiques. Il a donc fallu créer d'autres unités pour aborder ces profondeurs vertigineuses :

□ **L'Unité Astronomique** (U.A.) est la distance moyenne du Soleil à la Terre, soit 149.500.000 km. Exemple : Soleil-Jupiter = 5,2 U.A.;

□ **L'année-lumière.** Au lieu de dire « j'habite à x km de Paris », je puis tout aussi bien dire : « j'habite à 2 heures de Paris (en voiture) ». Choisissons un autre moyen de locomotion, la lumière, qui parcourt 300.000 km par seconde. Je puis dire alors que le Soleil est à 8 minutes-

lumière de la Terre, c'est le temps que met la lumière pour venir nous réchauffer;
□ **Le parsec** vaut 3,26 années-lumière. C'est la distance d'une étoile dont la parallaxe est d'une seconde (voir plus loin).

On parle aussi de **kiloparsec** et de **mégaparsec** (un million de parsecs).

Méthodes d'estimation

■ Parallaxe trigonométrique

C'est une méthode qui s'appuie sur le procédé de la triangulation, procédé déjà utilisé pour mesurer la dis-

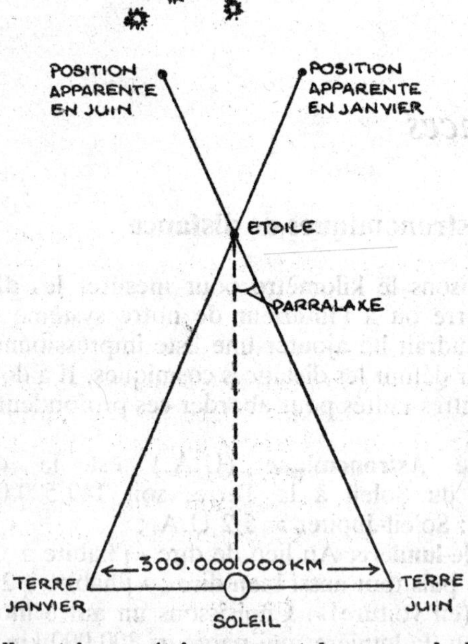

La parallaxe trigonométrique permet de mesurer la distance des étoiles proches.

tance de la Lune.

Soit deux points de l'orbite terrestre autour du Soleil, situés à 6 mois de distance ; ils définissent le diamètre de l'orbite terrestre (300 millions de km) qui sera la base du triangle.

Observée de ces deux points, à six mois d'intervalle, l'étoile semble avoir changé de place. Le demi-angle de déplacement s'appelle la parallaxe ou encore, la parallaxe est l'angle sous lequel; depuis une étoile, on voit le demi grand axe de l'orbite terrestre autour du Soleil.

Connaissant la base du triangle ainsi que les angles, il nous suffira d'un simple calcul pour trouver la distance de l'étoile.

Le premier à utiliser cette méthode fut Bessel qui trouva la distance de l'étoile 61 Cygni : 11,3 années-lumière.

Mais cette méthode s'avère de plus en plus imprécise pour les étoiles lointaines, la parallaxe devenant trop petite pour la mesurer. Ou bien il faudrait utiliser une base encore plus grande que 300 millions de km, ce qui semble difficile, pour le moment du moins.

■ Parallaxe spectroscopique

Cette méthode procède par comparaison des spectres de deux étoiles dont on connaît la distance de l'une. Toutes choses n'étant pas comparables, il faut que ces étoiles présentent des spectres très semblables, pour s'assurer qu'elles appartiennent à la même classe.

Soit la distance de l'étoile A connue ; si le spectre de l'étoile B est 16 fois moins intense que celui de A, on peut en déduire que B se trouve quatre fois plus éloignée puisque l'intensité d'un rayon lumineux est inversément proportionnel au carré de son éloignement. Cette méthode permet une investigation plus lointaine*, pour-

* Au risque de nous répéter, signalons, que la connaissance de la distance d'une étoile ne peut être étendue à la distance des autres étoiles situées dans la même constellation. Ainsi alpha et bêta de Cassiopée nous semblent voisines alors que 100 années-lumière les séparent.

vu qu'on ait des étoiles de référence dont la distance nous est connue.

■ Les Céphéides

Ce sont des étoiles variables (c'est-à-dire dont l'éclat varie selon des périodes régulières) de courte période. Leur nom provient de l'étoile-type, delta Cephei, visible à l'œil nu puisque sa magnitude varie de 3,7 à 4,3 en 5 jours 9 heures (période). La famille des Céphéides est très nombreuse et leur période (durée de variation) peut aller de quelques heures à 50 jours.

Au début du siècle, Miss Leavitt fit une découverte surprenante : la période d'une Céphéide est en rapport avec son intensité lumineuse. Celle-ci sera d'autant plus forte que la période est longue et deux Céphéides de même période seront de même intensité. C'est ce qu'on appelle la «relation période-luminosité».

Connaissant l'éclat intrinsèque de l'étoile et son éclat apparent, il nous est facile d'en déterminer la distance, de la même façon que, la nuit, nous estimons la distance

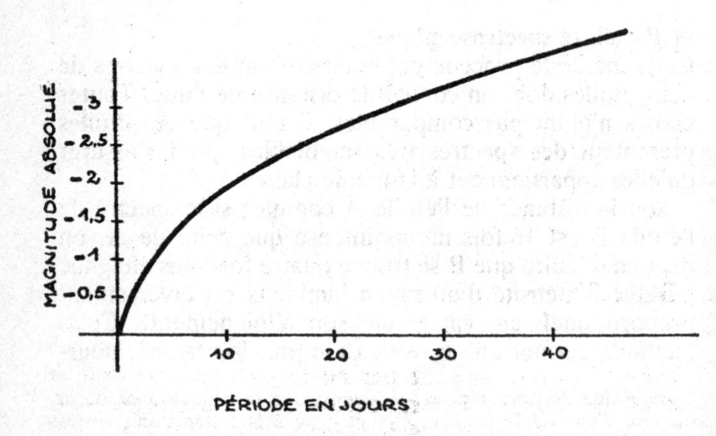

Relation période-luminosité des Céphéides : plus la période est longue, plus l'étoile est brillante.

d'une voiture à partir de l'éclat de ses phares.

Les Céphéides sont en quelque sorte des phares de l'espace. Elles sont d'une grande valeur dans la recherche astrophysique car on en trouve dans toutes les directions et même dans d'autres systèmes galactiques que le nôtre. Leur présence permet alors d'estimer la distance de l'ensemble dont elles font partie : grâce aux Céphéides nous connaissons les distances des Nuages de Magellan (150 000 années-lumière) ou de la galaxie d'Andromède (2 200 000 années-lumière).

■ Les 10 étoiles les plus proches

Le premier chiffre indique la distance en années-lumière; le second donne la magnitude visuelle, ce qui nous permet de remarquer que la majorité de ces étoiles ne sont pas observables à l'œil nu puisqu'elles dépassent la 6e magnitude.

Proxima du Centaure	4,3	11,3
Alpha Centaure A	4,3	0,3
Alpha Centaure B	4,3	1,7
Etoile de Barnard	6	9,4
Wolf 359	8,1	13,5
Lalande 21185	8,4	7,4
Sirius (alpha Grand Chien)	8,7	-1,5
Ross 154	9,3	10,5
Luy 798-6	9,9	12,3
Ross 248	10,4	12,2

Mouvements

Les étoiles n'échappent pas au mouvement continu de l'Univers, comme si le mouvement était une règle générale à laquelle ne peut échapper aucune existence.

Si les Anciens ont cru à la fixité des étoiles, c'est du fait de leurs distances incommensurables. L'avion le plus rapide, tout en haut dans le ciel, nous semble animé d'un mouvement paresseux; le même mouvement à ras du sol, coupe le souffle. Il en est de même pour les étoiles, à ceci près que leurs distances sont proprement astronomiques.

Les quelques millions de kilomètres qu'elles peuvent parcourir en un jour n'entraînent pour nous aucun déplacement visible, fût-ce de l'épaisseur d'un cheveu, et il nous faut des mesures micrométriques minutieuses pour noter leur mouvement annuel qui s'inscrit en dizaines de milliards de kilomètres, et plus encore. Que dire des galaxies qui, à chaque seconde, s'éloignent de nous de 150 000 km?

■ Comme le mouvement d'une étoile se déroule rarement dans la ligne exacte de notre regard, ou dans la perpendiculaire à cette ligne, son mouvement réel se décomposera en deux directions à angle droit. La composante le long de notre visée s'appelle **vitesse radiale** et se mesure en déterminant le décalage du spectre vers le bleu (quand elle s'approche) ou vers le rouge (quand elle s'éloigne), selon l'effet Doppler. Le résultat s'exprime en km/sec.

L'autre composante se mesure le long d'une tangente à la sphère céleste et représente un déplacement angulaire qu'on nomme **mouvement propre**, mesuré en secondes d'arc par an.

■ Des mouvements divers animent les milliards de soleils de l'espace : mouvement des étoiles doubles l'une autour de l'autre, mouvement autour de l'axe galactique, rotation de l'étoile sur elle-même.

Ici encore, c'est l'effet Doppler qui nous permet de mesurer ce mouvement : un côté de l'étoile s'approche de nous quand l'autre fuit, il y aura un dédoublement du spectre vers le bleu et vers le rouge.

A la longue, ces mouvements affectent l'aspect des constellations et, sur des centaines de millions d'années, c'est l'aspect général du ciel qu'ils font changer. Ainsi

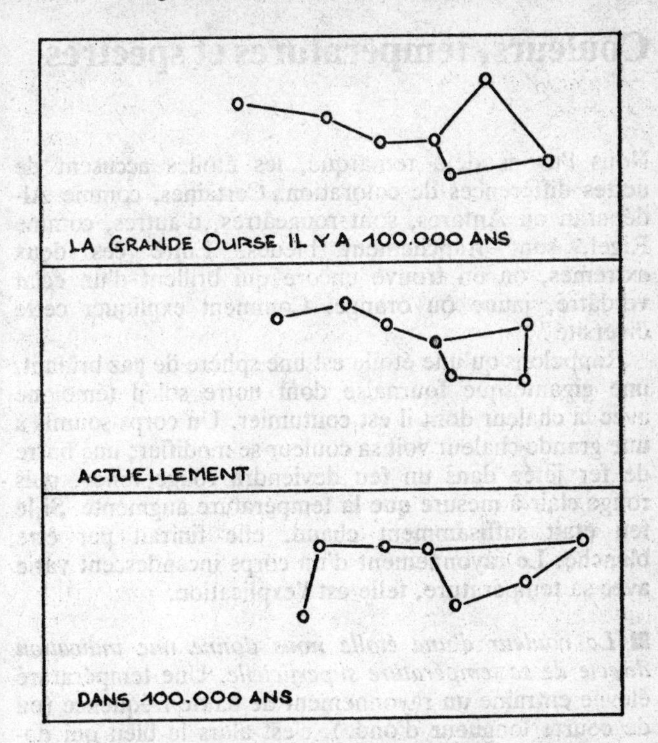

Le mouvement propre des étoiles déforme les constellations.

peut-on imaginer qu'un jour des constellations australes comme la Croix du Sud seront visibles de l'hémisphère boréal.

On peut se demander si, entraînés par le Soleil à la vitesse de 20 km/sec (70 000 km/h), nous ne risquons pas de finir nos jours dans une gigantesque collision stellaire. A cela, W. Smart répond que cette probabilité est la même que «celle de toucher une pièce de monnaie en tirant sur elle à 1600 mètres, par une nuit obscure et sans savoir dans quelle direction est la pièce» (cité par P. Rousseau).

Couleurs, températures et spectres

Nous l'avons déjà remarqué, les étoiles accusent de nettes différences de coloration. Certaines, comme Aldébaran ou Antares, sont rougeâtres, d'autres, comme Rigel, sont franchement bleues. Entre ces deux extrêmes, on en trouve encore qui brillent d'un éclat verdâtre, jaune ou orange. Comment expliquer cette diversité ?

Rappelons qu'une étoile est une sphère de gaz brûlant, une gigantesque fournaise dont notre soleil témoigne avec la chaleur dont il est coutumier. Un corps soumis à une grande chaleur voit sa couleur se modifier ; une barre de fer jetée dans un feu deviendra rouge foncé, puis rouge clair à mesure que la température augmente. Si le feu était suffisamment chaud, elle finirait par être blanche. Le rayonnement d'un corps incandescent varie avec sa température, telle est l'explication.

■ *La couleur d'une étoile nous donne une indication directe de sa température superficielle.* Une température élevée entraîne un rayonnement de haute fréquence (ou de courte longueur d'onde), c'est alors le bleu qui domine. Dès lors, des étoiles telles qu'Aldébaran ou Antarès traduisent par leur couleur rouge une température superficielle relativement basse.

Les températures des étoiles varient entre 2500 degrés Kelvin (K) pour les étoiles rouges et 30 000 degrés K pour les bleues (l'échelle Kelvin se compte à partir de – 273° C, le zéro absolu). Notre Soleil a une température superficielle de 5 800 degrés.

La distinction entre température superficielle et température centrale est importante puisque la température au centre du Soleil avoisine les 15 millions de degrés !

■ *La température de l'étoile est un paramètre essentiel.* C'est à elle que nous devons l'éclat des étoiles, c'est elle encore qui détermine, nous allons le voir, le spectre, l'état physique et le type de réaction thermonucléaire des étoiles.

Classification spectrale

L'application de l'analyse spectrale à l'astronomie se porta d'abord sur le Soleil. Cette étude était facilitée par la surabondance de lumière dont il nous inonde, lumière recueillie sur un spectre largement étalé.

L'analyse des spectres stellaires se pose en d'autres termes. Comment étudier le spectre d'un astre dont le rayonnement est si faible, de par son extrême éloignement ? La réalisation de télescopes de plus en plus puissants et l'introduction de la photographie avec parfois des poses de plusieurs nuits allaient permettre de multiplier le rayonnement disponible. L'**astrophysique** était lancée.

Une classification basée sur le type spectral des étoiles fut proposée par l'observatoire de Harvard. Basée sur l'étude du spectre de plus de 225 000 étoiles, elle propose une série de classes désignées par des lettres : O, B, A, F, G, K, M, dans l'ordre des températures superficielles décroissantes. De O à M, on passe des étoiles bleues aux étoiles rouges.

■ *La classe spectrale dépend essentiellement de la température superficielle de l'étoile et non pas de sa composition chimique.* Au contraire, la composition chimique ne diffère que dans une faible mesure d'une étoile à l'autre puisqu'elle est largement dominée par l'hydrogène et l'hélium (71 et 27 %), les autres éléments (Carbone, Oxygène, Azote et Métaux) se partageant le reste.

De façon générale, l'atmosphère des étoiles est composée des mêmes atomes que ceux existant sur terre. La découverte de l'unité de composition de l'Univers est une des premières conquêtes de l'astrophysique.

■ *La température est déterminante dans la mesure où elle*

conditionne l'organisation de la matière. De même qu'elle peut transformer l'eau en vapeur, ainsi, à des températures très élevées, peut-elle dissocier les molécules en leurs éléments et arracher un électron à un atome (ionisation).

Dans les étoiles très chaudes, les atomes sont désagrégés et ce sont les raies de l'hélium qui dominent. Dans les moins chaudes, les températures plus basses permettent aux molécules de survivre et les raies spectrales trahissent la présence de métaux.

Le Soleil se situe dans la classe G qui comprend des étoiles jeunes d'une température voisine de 6 000 degrés. Les étoiles du Baudrier d'Orion font partie de la classe B (étoiles bleues, 30 000 degrés) tandis que Bételgeuse ou Antares appartiennent à la classe M (étoiles rouges, 3 000 degrés).

Le diagramme Hertzsprung-Russel

En 1908, l'astronome danois Hertzsprung, allait fournir à l'astrophysique un outil d'une grande valeur en établissant un graphique portant en abscisse les types spectraux des étoiles et en ordonnée leur luminosité (magnitude absolue). C'est ce qu'on appelle le **Diagramme H-R** (Hertzsprung-Russel), Russel étant l'autre astronome qui, de son côté, avait abouti au même résultat.

Au lieu de constater dans ce diagramme une dispersion aléatoire des étoiles, on y découvre une certaine organisation s'ordonnant autour de la relation couleur (ou type spectral)-luminosité. On peut tout aussi bien parler de la relation température-luminosité puisque, nous l'avons vu, couleurs et températures superficielles sont indissociablement associées.

■ Ce qui frappe au premier abord dans ce diagramme, c'est la concentration d'étoiles dans une bande diagonale bien définie qui traverse le diagramme du haut à gauche (étoiles bleues très lumineuses) au bas à droite (étoiles

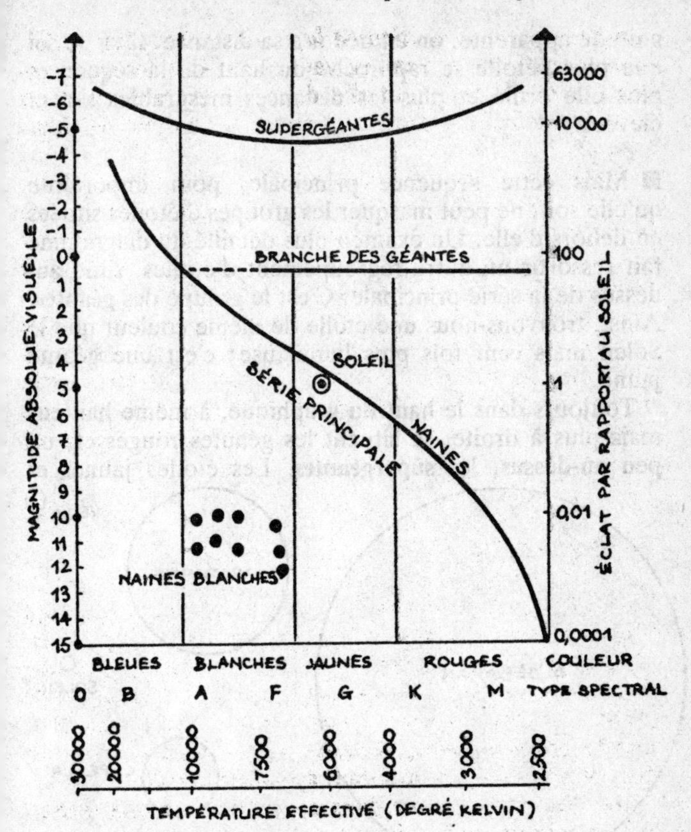

Diagramme de Hertzsprung-Russel (H-R) schématisé.

rouges, peu lumineuses). C'est ce qu'on appelle la «**séquence principale**».

Le Soleil se situe sur cette séquence et on attribue à cette séquence 85 % de la population stellaire proche.

Pour une étoile de la séquence principale, on pourra donc déduire sa luminosité à partir de sa couleur. En comparant sa magnitude absolue ainsi obtenue et sa magnitude apparente, on en déduira sa distance. Il va de soi que plus l'étoile se rapproche du haut de la séquence, plus elle brille et plus les distances mesurables seront élevées.

■ Mais cette séquence principale, pour importante qu'elle soit, ne peut masquer les groupes d'étoiles situées en dehors d'elle. Un examen plus détaillé du diagramme fait ressortir un autre regroupement d'étoiles, situé au-dessus de la série principale. C'est le groupe des **géantes**. Ainsi, trouvons-nous une étoile de même couleur que le Soleil mais cent fois plus lumineuse ; c'est une géante jaune.

Toujours dans le haut du graphique, à même hauteur mais plus à droite, se situent les géantes rouges et, un peu au-dessus, les **supergéantes**. Les étoiles jaunes et

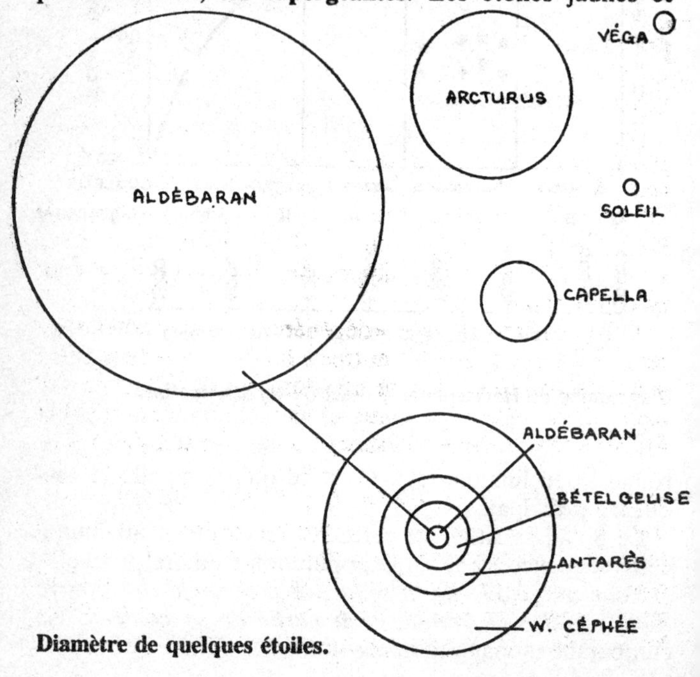

Diamètre de quelques étoiles.

surtout oranges et rouges se distinguent donc entre géantes et naines (celle de la séquence principale). Notre Soleil est considéré comme une naine et, dans la même classe spectrale, Capella est une géante.

Parler de naines et de géantes n'est pas exagéré quand on sait que le diamètre de Bételgeuse contiendrait largement l'orbite de la Terre autour du Soleil. Rigel (bleue) et Antarès (rouge) sont d'autres exemples de supergéantes.

■ Un autre groupe d'étoiles se distingue dans le coin inférieur gauche du diagramme. C'est le groupe des **naines blanches**. Leur couleur nous indique que ce sont des étoiles très chaudes.

Ce qui les distingue de leur consœur de la série principale, c'est leur luminosité beaucoup moindre. On l'imagine facilement quand on sait qu'elles sont réellement des naines à l'échelle stellaire. Ainsi, l'étoile de Kuiper a un diamètre de 6000 km seulement (celui du Soleil est voisin de 1 400 millions de km).

Ces étoiles sont particulièrement intéressantes d'un point de vue physique car la matière se trouve dans un état totalement différent de celui qu'on trouve sur la Terre. Leur masse est là pour en témoigner. L'étoile de Kuiper, ridiculement petite, est d'une masse équivalente à celle du Soleil. Une cuillerée de cette matière pèserait plusieurs tonnes.

Cette matière est dite «dégénérée». Les atomes s'entassent les uns contre les autres à tel point que la matière y est décomposée. Là où un atome normal est surtout composé de vide, ici noyaux et électrons s'agglutinent et forment une mélasse indistincte d'une densité énorme.

Il est difficile d'évaluer avec précision l'importance relative de ces groupements. La population de la séquence principale est de toute façon nettement majoritaire puisque, selon les estimations, elle grouperait plus de 80 % des étoiles. Les naines représenteraient 5 à 10 % de l'ensemble et les géantes seraient encore bien plus rares.

Relation masse-luminosité dans la série principale

Le diagramme H-R amenait tout naturellement à s'interroger sur la masse de ces étoiles, dites géantes ou naines.

Ce sont les étoiles doubles qui nous permettent de mesurer les masses stellaires. Ces étoiles tournent l'une autour de l'autre le long d'une orbite bien précise et selon les principes de l'attraction universelle définis par Newton. Cette attraction dépend des masses en jeu. L'étude et la mesure de l'orbite permet d'en déduire leurs masses.

Ces masses varient systématiquement le long de la séquence principale selon la « relation masse-luminosité » d'une grande importance en astrophysique. *Une étoile brillera d'autant plus qu'elle sera plus massive et deux étoiles ayant le même éclat auront une masse semblable.*

Une étoile de masse double consomme donc beaucoup plus d'énergie, dix fois plus qu'une étoile de masse simple. Cela signifie que son espérance de vie sera bien plus courte puisqu'elle épuisera ses réserves bien plus vite. Nous verrons par la suite combien la masse est un paramètre majeur de l'évolution des étoiles.

Remarquons que cette masse ne varie que de 1 à 50 par rapport au Soleil alors que la luminosité peut varier de 1 à 1 000 000 000 d'une étoile à l'autre. Ce qui nous met en droit de considérer que la majorité des étoiles ont une masse qui ne s'éloigne guère de l'ordre de grandeur de celle du soleil. Une étoile de la séquence principale se placera au-dessus ou en-dessous du Soleil selon que sa masse est plus ou moins élevée.

Energie stellaire

Les étoiles répandent depuis des milliards d'années, à chaque seconde de leur existence, d'énormes quantités d'énergie dans l'univers intersidéral. Ainsi le Soleil émet en une seconde des millions de fois l'énergie électrique consommée par la France en un an. Et nous savons que le Soleil n'est pas une des étoiles les plus généreuses de leur énergie.

Longtemps, les hommes se sont interrogés sur ce flux apparemment intarissable. On a d'abord pensé que ce rayonnement était le fruit de réactions chimiques et qu'une étoile était un brasier de charbon. A ce compte-là, le Soleil (nous le prenons comme exemple puisqu'il représente une étoile moyenne se situant au milieu de la séquence principale) aurait une existence bien courte à l'échelle cosmique, de l'ordre de 1 500 années. Or, on sait que le Soleil est un peu plus âgé que la Terre, qu'il est né il y a quelque 5 milliards d'années.

Par la suite on imagina une autre explication : le Soleil se contracte sous l'effet des forces gravitationnelles. Cette contraction engendre le rayonnement que nous recevons. Tout comme l'autre, cette explication vient buter sur le fait que notre astre ne pourrait vivre aussi longtemps de cette énergie-là.

Vers 1940, alors que de nombreux physiciens avaient étudié la structure de l'atome et de ses constituants, on trouva enfin explication plus proche de la réalité et on sait maintenant que **l'énergie stellaire (et donc solaire) provient de réactions nucléaires qui se produisent au cœur de ces astres**. Une étoile est un gigantesque réacteur nucléaire dont le cœur, pour le Soleil, est porté à plus de 10 000 000 de degrés tandis que pour d'autres étoiles, la température peut s'élever bien plus encore.

■ A cette température (10 millions de degrés), les atomes sont projetés les uns sur les autres à des vitesses énormes.

Dépouillés de leurs électrons, les noyaux se repoussent, chargés qu'ils sont d'électricité positive.

Cette force de répulsion est contrecarrée par l'agitation thermique croissante. Les collisions deviennent si violentes que les fusions nucléaires s'enclenchent, libérant une quantité d'énergie sous forme de rayons gamma.

Nous voyons ainsi, qu'**à une température de plusieurs millions de degrés**, les réactions nucléaires s'enchaînent spontanément au cœur des étoiles.

■ Le rayonnement solaire étant quasiment constant depuis des millions d'années, il faut supposer que l'élément chimique à la base de ces réactions thermonucléaires était et est présent en grande quantité. C'est donc l'**hydrogène**, l'élément le plus abondant dans l'Univers, qui est le carburant de choix.

Quatre atomes (où ions) d'hydrogène fusionnent pour donner un atome d'hélium. La masse de ce dernier ne représente pas tout à fait la somme des masses de quatre atomes d'hydrogène.

Il y a donc perte de masse qui selon l'équation d'Einstein, se transforme en un flux important d'énergie. On estime qu'à chaque seconde, le soleil perd ainsi 4 millions de tonnes d'énergie rayonnée. Ce qui est peu par rapport à sa masse et, à ce rythme, il en a encore pour 5 milliards d'années à vivre, occupé à transformer 500 millions de tonnes d'hydrogène en hélium et ce à chaque seconde.

L'énergie libérée dans les entrailles de l'étoile doit ensuite se frayer un chemin à travers les différentes couches de matière plus ou moins opaque pour atteindre la surface et participer au rayonnement de l'astre. L'équilibre de celui-ci exige que l'énergie produite et l'énernergie rayonnée soient égales, sous peine de modification de sa température.

Une étoile de la séquence principale passe la majeure partie de sa vie le long de celle-ci, transformant l'hydrogène en hélium. Une fois l'hydrogène épuisé, d'autres fusions s'opéreront.

L'évolution des étoiles

La naissance

Si l'on part de l'idée que la vie s'est développée grâce à une complémentarité croissante, il faut chercher l'atome le plus simple pour remonter à l'origine de cette évolution. Quel est cet élément, si ce n'est l'hydrogène, avec son unique électron en orbite autour d'un noyau composé d'un seul proton ?

Cet élément le plus simple, c'est aussi celui qui abonde le plus dans l'Univers.

■ **La vie des étoiles commence dans de vastes nuages d'hydrogène gazeux**, d'une densité homogène et très basse. Au sein de ces nappes de gaz en mouvement, il peut se créer des zones un peu plus denses parmi lesquelles les atomes exercent entre eux une légère force d'attraction. Si suffisamment d'atomes sont regroupés, il se formera un ensemble autonome, préservé du retour au néant par la force d'attraction des atomes constituants.

■ **L'énergie gravitationnelle**, comprimant toujours plus les atomes, déclenche un phénomène de contraction et se transforme en **énergie thermique**. L'étoile n'est pas encore née mais c'est ici que se situe le mouvement de sa conception.

La contraction continue et la température s'élève. A 50.000 degrés surviennent les collisions entre atomes, collisions au cours desquelles ils s'arrachent leurs électrons ; ils sont ionisés. Sous l'effet de la contraction, le diamètre du nuage d'hydrogène est passé de 15.000 milliards de km à 150 millions de km.

■ La contraction se poursuit, élevant toujours la température qui va atteindre le point critique, 12 millions de degrés. A ce point, les collisions se font d'une telle violence qu'elles parviennent à surmonter les forces de répulsion électrique entre protons qui cèdent la place aux forces autrement plus puissantes de **l'attraction nucléaire**. Ces forces sont si puissantes qu'elles engendrent la fusion de quatre noyaux en un seul, fusion accompagnée d'une libération d'énergie : *quatre noyaux d'hydrogène fusionnent pour en donner un d'hélium* (celui-ci comprend en effet deux protons et deux neutrons) en émettant de l'énergie. L'astre commence à rayonner, une étoile est née. Cette naissance est donc marquée par l'enclenchement des réactions thermonucléaires, telles que celles à l'œuvre dans une bombe à hydrogène.

■ Puisque les étoiles se forment par la condensation dans les nuages interstellaires, il n'est pas étonnant de constater qu'actuellement, **les amas d'étoiles les plus jeunes sont associées à des nébuleuses**. Ainsi, la Nébuleuse d'Orion est un endroit où la natalité stellaire est importante, de même que la Nébuleuse de l'Araignée dans le Grand Nuage de Magellan.

Inversement, **les amas d'étoiles sans aucune nébulosité sont vraisemblablement des amas âgés**, ayant épuisé toute leur matière interstellaire pour concevoir des étoiles.

L'âge adulte

C'est à ce stade que l'étoile rejoint la séquence principale du diagramme H.R. Elle y passera la plus grande partie de son existence. Voyons comment.

■ C'est la libération d'énergie résultant de la fusion des atomes qui nous permet de voir briller les étoiles. En libérant cette énergie, sous forme de rayonnement, *l'étoile cesse de se contracter et trouve un équilibre entre les forces de gravitation qui s'exercent vers le centre et celles exercées par la pression des gaz internes*.

Cet équilibre, pour une étoile de masse voisine de celle du Soleil peut durer quelque 10 milliards d'années, pen-

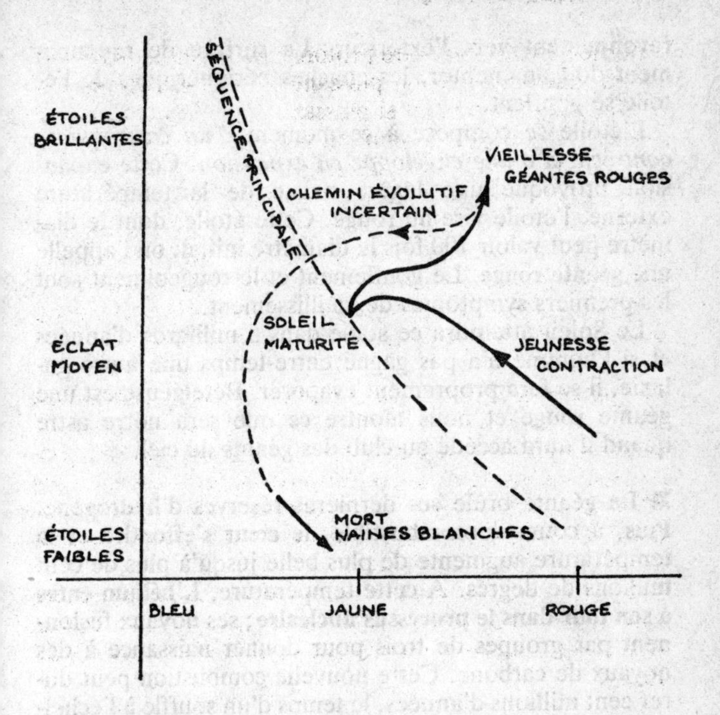

Evolution d'une étoile de la séquence principale dans le diagramme H-R.

dant lesquelles **l'aspect de l'astre reste assez constant.** Tant que les réserves de combustible, l'hydrogène, ne sont pas épuisées, l'énergie de l'étoile se diffuse sous forme de photons (particules élémentaires lumineuses) à travers les couches successives et nous parvient sous forme de rayonnement.

■ Il arrive un moment où *l'hydrogène se fait plus rare tandis que l'hélium s'accumule au cœur de l'étoile.* Celui-ci s'échauffe progressivement et, pour maintenir l'équilibre, il se doit de libérer cette chaleur sous forme de rayonnement vers l'extérieur. La surface de rayonnement doit augmenter, les couches périphériques de l'étoile se gonflent.

L'étoile se compose à ce moment d'*un cœur qui se contracte et d'une enveloppe en expansion.* Cette expansion provoque une légère baisse de la température externe, l'étoile vire au rouge. Cette étoile, dont le diamètre peut valoir 100 fois le diamètre initial, on l'appelle **une géante rouge**. Le gonflement et le rougeoiment sont les premiers symptômes de vieillissement.

Le Soleil atteindra ce stade dans 5 milliards d'années et si l'homme n'a pas gagné entre-temps une autre galaxie, il se fera proprement évaporer. Bételgeuse est une géante rouge et nous montre ce que sera notre astre quand il aura accédé au club des géants du ciel.

■ La géante brûle ses dernières réserves d'hydrogène. Puis, à cours de combustible, le cœur s'effondre et la température augmente de plus belle jusqu'à plus de cent millions de degrés. A cette température, **L'hélium entre à son tour dans le processus nucléaire**; ses noyaux fusionnent par groupes de trois pour donner naissance à des noyaux de carbone. Cette nouvelle combustion peut durer cent millions d'années, le temps d'un souffle à l'échelle cosmique.

D'autres réactions nucléaires entrent ensuite en jeu pour donner à l'étoile ses derniers sursis face à une mort prochaine. Chacune de ces réactions exige des températures de plus en plus incroyables. Il faut 300 millions de degrés pour que les atomes de carbone fusionnent. C'est encore la contraction du centre de l'étoile qui créera cette chaleur. Mais la mort est imminente et se présentera sous des formes différentes selon la masse de l'astre agonisant.

La mort

La masse de l'étoile est déterminante de par les quantités de chaleur produites au cours de l'effondrement des couches externes de l'étoile.

■ Masse voisine de celle du Soleil

La chaleur dégagée par l'effondrement n'est pas suffisante pour entamer le processus nucléaire de combustion du carbone. Les réactions nucléaires prennent fin et l'étoile se contracte jusqu'à ce que la matière s'oppose à une réduction plus grande. Sa taille avoisine celle de la terre et son volume a diminué plus d'un million de fois.

Elle peut briller faiblement pendant des milliards d'années, le rayonnement émis étant proportionnel à sa petite surface.

On appelle ces étoiles des **naines blanches.** Nous avons vu qu'elles se caractérisent par l'énorme densité de leur matière.

Ces étoiles sont très peu visibles du fait de leur faible luminosité. Quand elles auront rayonné toute leur chaleur, elles échapperont à tout regard et se perdront dans l'immensité obscure des **naines noires.**

■ Masse supérieure à celle du Soleil

Les effondrements successifs de ces étoiles enclenchent de nouveaux cycles thermonucléaires en augmentant à chaque fois la température. A 300 millions de degrés, les noyaux de carbone fusionnent et engendrent des éléments encore plus lourds (de l'oxygène au sodium). Le carbone épuisé, d'autres réactions prennent le relais, à travers des cycles d'effondrement, de réchauffement et de nouvelles fusions atomiques qui donnent naissance à des éléments de plus en plus lourds.

Quand le fer vient à s'accumuler au centre, il fait obstacle à de nouvelles réactions nucléaires. L'attraction gravitationnelle n'est plus compensée et les matières sont attirées vers le centre à des vitesses formidables. A un certain point, la pression centrale arrête ce processus d'effondrement. *Une implosion gigantesque* s'ensuit qui fait monter la température à des millions de milliards de degrés.

Cette étoile en train d'exploser est une **supernova.** Elle brille alors comme des millions de Soleils et éjecte dans l'atmosphère ses couches externes, riches en noyaux lourds qui alimenteront plus tard les nouvelles étoiles nées de gaz et de poussière interstellaires. Remarquons que cette mort est très rapide puisque effondrement et explosion ne durent pas plus de quelques minutes.

Les supernovae ne sont pas phénomènes courants. La dernière fut enregistrée en Europe en 1572 par Tycho Brahe. Les annales chinoises rapportent aussi qu'un tel phénomène se passa en 1054. On sait, grâce à leurs indications, qu'à cet endroit du ciel correspond la Nébuleuse du Crabe, animée d'une vitesse d'expansion de 1.500 km à la seconde.

Les pulsars

Qu'en est-il du centre compressé après l'éjection des couches externes dans l'espace ?

C'est en 1967 que se situe une découverte étonnante de ces dernières années. On avait recueilli des signaux radio dont la périodicité était très marquée. La régularité de l'émission fit d'abord penser qu'on pouvait se trouver en face de signaux d'extra-terrestres et ces objets énigmatiques portèrent le surnom de Little Green Men (LGM), Petits Hommes Verts.

On sait maintenant que ce rayonnement est émis par des pulsars. Un pulsar est en fait le reste d'une supernova, c'est une **étoile à neutrons.** Dans le centre de la supernova, les matériaux se sont entassés et la pression atteint un niveau tel qu'électrons et protons se combinent avec absorption d'énergie pour former des neutrons. La contraction est si forte que le rayon d'une étoile à neutron ne dépasse pas quelques dizaines de kilomètres. Un dé à coudre de cette matière y pèserait des centaines de millions de tonnes.

Un pulsar fut découvert dans la Nébuleuse du Crabe, confirmant ainsi que c'était bien le squelette d'une supernova. Les pulsars n'émettent pas leurs rayonnements de la même manière en tout point de leur surface. Leurs signaux nous parviennent sous forme de pulsations, ce qui montre que ces astres sont soumis à une rotation extrêmement rapide. On pourrait comparer le faisceau d'ondes radio d'un pulsar au faisceau d'un phare qui n'est vu que lorsqu'il balaie l'observateur (la terre dans le cas du pulsar).

Les trous noirs

On pouvait penser, qu'avec une densité de centaines de millions de tonnes par centimètre cube, l'étoile à neutrons détenait le record absolu de compression de la matière. Nous allons voir que ce record est battu par un objet qui prête encore à de nombreuses controverses, le trou noir.

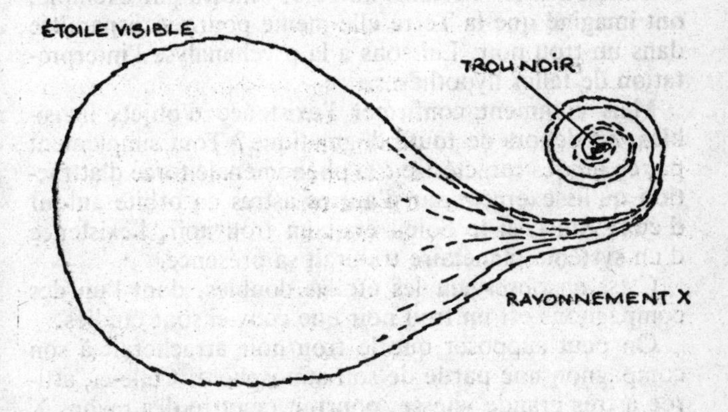

Système binaire dont l'une des composantes est un trou noir qui arrache de la matière à l'étoile visible. Cette matière est tellement comprimée qu'elle émet un rayonnement X intense. Ainsi pourrait-on déceler un trou noir.

L'effondrement gravitationnel marquait le passage d'une étoile au stade d'étoile à neutrons. La pression des neutrons stabilisait le système autour d'un diamètre très réduit.

Mais lorsque la masse de l'étoile dépasse trois fois celle du Soleil, aucune pression n'est capable de contrecarrer l'effondrement cataclysmique et celui-ci se poursuit sans que rien ne l'arrête. La force de gravité et la pesanteur deviennent des milliards de fois plus fortes que celles exercées sur la Terre.

Nous connaissons depuis Einstein, l'équivalence de l'énergie et de la masse. La lumière (faite de particules très rapides : les photons) qui est une énergie électromagnétique possède donc une masse; les photons sont eux-aussi soumis à la gravitation. Dans le cas d'un trou noir, la force de gravité extrême qui y règne empêche tout corps, toute particule de s'en échapper. La lumière elle-même est prisonnière de l'attraction, voilà pourquoi on appelle ces objets des trous noirs. Ils ne peuvent non plus réfléchir la lumière d'un autre astre; ils ne feraient que la retenir, l'avaler. Certains auteurs, Finotto par exemple, ont imaginé que la Terre elle-même pourrait disparaître dans un trou noir. Laissons à la psychanalyse l'interprétation de telles hypothèses.

Mais comment confirmer l'existence d'objets invisibles, en dehors de toute dogmatique? Tout simplement par ce qui les caractérise : la phénoménale force d'attraction qu'ils exercent sur d'autres astres en orbite autour d'eux. Ainsi, si le Soleil était un trou noir, l'existence d'un système planétaire trahirait sa présence.

C'est en observant les étoiles doubles, dont l'un des compagnons est un trou noir que ceux-ci sont étudiés.

On peut supposer que le trou noir arracherait à son compagnon une partie de son atmosphère. Celle-ci, attirée à très grande vitesse, pourrait émettre des rayons X avant de s'engouffrer dans l'astre glouton. Certaines sources de rayon X ont été localisées, dont la plus célèbre est connue sous le nom de Cygne X-1, à proximité d'une étoile en orbite autour d'un compagnon invisible dont la masse devrait valoir 8 Soleils. Serait-ce le premier trou noir que l'homme aura décelé ?

Toujours est-il que les trous noirs ont déclenché des polémiques nombreuses dont certaines déboucheraient sur des modifications des lois physiques en vigueur. Le sujet reste ouvert.

Etoiles doubles et étoiles variables

Etoiles doubles

Une étoile double est un système de deux étoiles tournant autour d'un centre de gravité commun. Découvertes par Herschel en 1793, elles témoignent de l'universalité des lois de la gravitation, formulées par Newton.

Beaucoup d'étoiles nous semblent très proches l'une de l'autre alors qu'elles ne le sont que par un effet de perspective. Ces étoiles ne sont pas physiquement liées ; on les appelle des **couples optiques.**

Les étoiles doubles forment **un système physique.** C'est leur attraction mutuelle qui les retient et les fait graviter l'une autour de l'autre. Un exemple célèbre d'étoile double est représenté par Mizar, de la Grande Ourse. Au télescope, on s'aperçoit qu'il y a en fait deux étoiles de 2e et de 4e magnitude mais elles sont trop rapprochées pour que l'œil puisse les distinguer. Un autre exemple connu est l'étoile gamma de la Vierge, proche de Spica, dont les composantes accomplissent leur orbite en 180 ans. Cette orbite étant elliptique, il va de soi qu'au fil du temps elles paraissent plus ou moins proches, phénomène encore accentué par l'angle de vue de l'observateur.

Ces étoiles vues à travers une lunette, forment parfois un tableau d'une grande beauté. Ainsi les géants rouges Antares et alpha d'Hercule ont chacune un compagnon de couleur verte tandis que bêta du Cygne se compose d'une étoile jaune dorée et d'une autre verte.

Il existe des binaires tellement rapprochées que même un téléscope géant ne peut les distinguer. En étudiant le spectre d'une étoile, on peut s'apercevoir qu'il y a un dédoublement des raies avec un décalage vers le rouge et vers le bleu (par rapport à la Terre, une étoile s'approche tandis que l'autre s'éloigne). Ces étoiles doubles, on les appelle **binaires spectroscopiques**. L'étoile Mizar a aussi un compagnon dévoilé par le spectrographe.

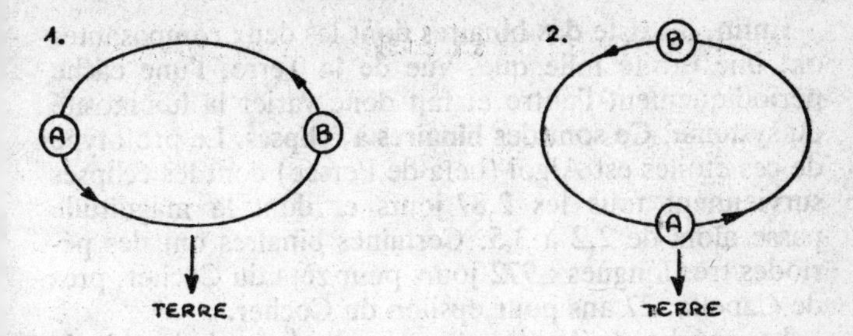

Binaire spectroscopique.
1 — A s'approche de la terre, B s'en éloigne. Le spectre présentera un décalage vers le bleu et vers le rouge (dédoublement).
2 — Pas de décalage spectral.

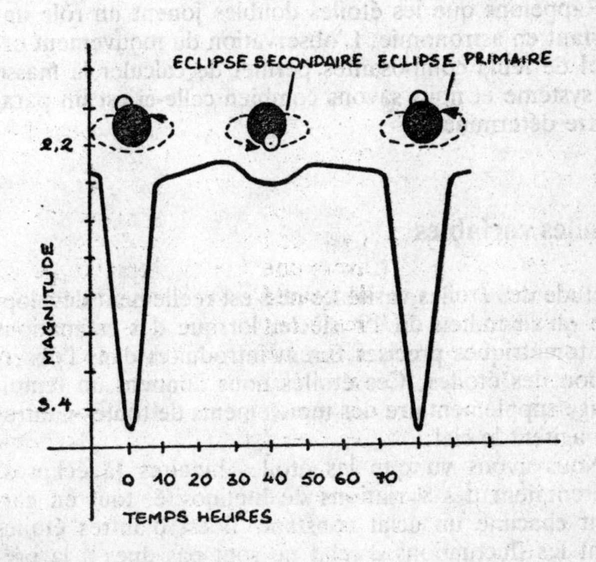

Binaire à éclipse : l'occultation d'une étoile par l'autre en orbite autour d'elle provoque une chute de luminosité.

Enfin, il existe des binaires dont les deux composantes ont une orbite telle que, vue de la Terre, l'une cache périodiquement l'autre et fait donc varier la luminosité du système. Ce sont des **binaires à éclipses.** Le prototype de ces étoiles est Algol (bêta de Persée) dont les éclipses surviennent tous les 2,87 jours et dont la magnitude passe alors de 2,2 à 3,5. Certaines binaires ont des périodes très longues : 972 jours pour zèta du Cocher, près de Capella, 27 ans pour epsilon du Cocher.

La courbe de lumière représente la variation de la magnitude en fonction du temps et montre les chutes de luminosité quand l'étoile la plus faible passe devant l'autre.

Il n'y a pas de différence intrinsèque entre une binaire ordinaire et une binaire à éclipses. C'est l'angle sous lequel on voit les binaires qui change. L'éclat d'Algol ne varierait pas si nous étions dans une autre région du ciel.

Rappelons que les étoiles doubles jouent un rôle important en astronomie. L'observation du mouvement orbital de leurs composantes permet de calculer la masse du système et nous savons combien celle-ci est un paramètre déterminant.

Etoiles variables

L'étude des étoiles variables ne s'est réellement développée qu'au milieu du 19e siècle, lorsque des estimations photométriques précises furent introduites dans l'observation des étoiles. Ces étoiles nous donnent un témoignage supplémentaire des mouvements de toutes natures qui agitent le ciel.

Nous avons vu que les étoiles binaires (à éclipses) présentaient des variations de luminosité, tout en gardant chacune un éclat constant. Il est d'autres étoiles dont les fluctuations d'éclat ne sont pas dues à la présence d'un compagnon mal placé mais bien à un changement intrinsèque.

■ C'est en 1596 que fut observée la première étoile variable. Cette étoile, Mira Ceti (la Merveilleuse de la Baleine), est une géante rouge qui oscille entre la 2ᵉ et la 9ᵉ magnitude, tous les 331 jours en moyenne. On la classe dans les étoiles **variables de longue période**. Parmi celles-ci, beaucoup sont des géantes rouges de très grand diamètre et de forte luminosité, si bien qu'elles semblent être à une étape avancée de leur évolution.

Cette variation d'éclat, accompagnée d'une variation de la température, traduit en quelque sorte la respiration de l'étoile, respiration plus ou moins régulière, avec des périodes de contraction et de dilatation. Ainsi, Mira Ceti se gonfle et se dégonfle alternativement, sur une période de 331 jours.

■ D'autres étoiles ont une période et une amplitude de variation moins régulière. On les appelle des **variables semi-régulières.** Bételgeuse, dans la constellation d'Orion, en est un exemple spectaculaire. Sa magnitude peut passer de 0,2 à 1,1 tandis que son diamètre atteint parfois 580 millions de km, soit près de quatre fois la distance de la Terre au Soleil.

■ D'autres étoiles ont des variations de luminosité tout à fait imprévisibles. Ce sont des **variables irrégulières** telles que R dans la Couronne Boréale ou Gamma de Cassiopée.

■ Mais la branche des variables qui intéresse le plus les astronomes est celle des **Céphéides**, déjà citée comme indicatrice de distances lointaines.

Ce sont des variables de courte période dont le prototype est Delta de Céphée. Sa magnitude varie de 3,7 à 4,3. Sa période, de 5 jours 9 heures et 45 minutes, se distingue par sa régularité parfaite, caractéristique essentielle des Céphéides.

Leur changement d'éclat semble branché sur une mécanique d'horlogerie. On peut donc toujours prévoir l'éclat qu'aura l'étoile à un moment donné quelconque.

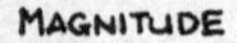

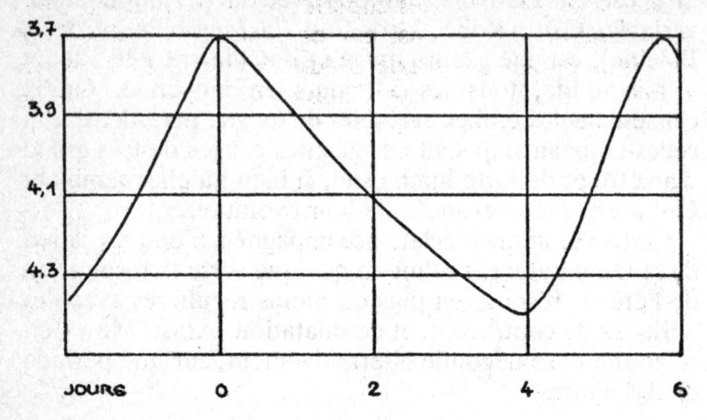

Courbe de lumière de Delta Céphei : les variations sont d'une régularité rigoureuse.

D'autres étoiles de cette catégorie sont Eta dans la constellation de l'Aigle (période de 7 jours 7 heures et 41 minutes) ou Zêta dans les Gémeaux (période de 10 jours 4 heures et 48 minutes) et, à ce jour on en connaît plusieurs milliers.

Nous avons vu tout l'intérêt que représente ces étoiles, de par la fameuse relation, dite période-luminosité, selon laquelle l'éclat d'une étoile croît régulièrement avec sa période. Plus le cycle est long, plus intense sera l'éclat intrinsèque de l'étoile, sa magnitude absolue. La comparaison avec sa magnitude visuelle nous donnera la distance de l'étoile. Même s'il faut tenir compte de certains facteurs tels que l'absorption du rayonnement par la poussière interstellaire, les Céphéides se comportent comme des sources lumineuses de référence. La courbe de lumière des Céphéides est d'une valeur inestimable dans l'évaluation des distances de galaxies ou d'amas lointains. Car ces étoiles détiennent un autre avantage : elles jouissent d'une très forte luminosité. On peut les observer à des distances supérieures à 40 millions d'années-lumière. C'est ainsi par exemple que Hubble put déterminer que la galaxie d'Andromède était bien au-delà des limites de notre Galaxie, se situant à plus de 2 millions d'années-lumière.

■ Certaines Céphéides se particularisent par une période extrêmement courte (moins d'un jour) et par le fait qu'elles ont toutes sensiblement la même magnitude absolue, voisine de 90 fois celle du Soleil. Ce sont les variables du type **RR Lyrae**, abondantes dans certains amas globulaires.

■ A l'opposé de la régularité des Céphéides, il existe encore une autre classe de variables dites éruptives. Ce sont **les novae.**

Leur apparition fut maintes fois signalée dans l'Antiquité ou au Moyen Age. On a conservé cette appellation impropre de novae bien que l'on sache maintenant qu'il ne s'agit pas d'étoiles nouvelles mais d'étoiles qui subissent une augmentation considérable et presque subite de leur éclat, proche de l'explosion. Une nova reste brillante quelques jours ou quelques semaines. Après son maximum, elle reprend progressivement son faible éclat, à la limite de l'obscurité.

Une des novae les plus remarquables fut, sans doute, celle qui brilla en novembre 1572 dans la constellation de Cassiopée et qui fut observée par le célèbre astronome Tycho Brahe ; elle atteignit un éclat qui dépassait celui de Vénus et elle fut visible en plein jour. Puis, elle diminua d'intensité et disparut aux regards en 1574.

Certaines novae sont dites récurrentes dans la mesure où elles sont sujettes à plusieurs explosions. Ainsi T Coronae, dans la petite constellation de la Couronne Boréale, est en général de la dizième magnitude mais elle se mit à briller jusqu'à devenir visible à l'œil nu en 1866 et, de nouveau en 1946.

Remarquons que ces sautes violentes d'éclat s'accompagnent d'éjection des couches externes de l'étoile, et la matière éjectée peut atteindre des vitesses de l'ordre de 3.000 kilomètres/seconde. Ici encore ce renseignement nous est donné par l'effet Doppler qui nous indique le rougeoiment du spectre.

Le monde des galaxies

La Voie Lactée, notre Galaxie

Pendant des milliers d'années, l'homme s'imagina au centre de l'Univers. Il fallut attendre Copernic pour que l'humanité accepte d'être banalement placée sur une planète parmi d'autres en orbite autour du Soleil. Ce n'était qu'une première déconvenue puisque ensuite il apparût que le Soleil lui-même est une étoile parmi les 100 milliards d'autres qui composent notre Galaxie, étoile de grandeur très moyenne et située loin du centre galactique. Enfin suprême affront, nous réalisons que notre Galaxie n'est qu'un système d'étoiles parmi des millions d'autres.

Configuration de notre Galaxie

C'est Galilée qui, le premier pointa sa lunette vers la Voie Lactée et y vit un fourmillement d'étoiles là où l'œil ne distingue qu'une bande faiblement lumineuse partageant le ciel en deux parties, suivant un grand cercle qui forme un angle de 62° avec l'équateur céleste. D'après la Légende, Hercule encore bébé, laissa échapper quelques gouttes de lait du sein de sa mère Junon. Ces quelques gouttes engendrèrent la Voie Lactée (galaxie et lactée viennent du grec galactos, lait).

Ce fourmillement apparent d'étoiles provient d'un effet de perspective dû à la forme allongée de la galaxie. La Voie Lactée représente simplement pour nous la direction du plan principal. Et comme notre position y est loin d'être centrale — 30.000 années-lumière nous séparent du centre galactique — c'est dans la direction du centre que les étoiles, à nos yeux, créent une densité apparemment très forte.

La galaxie se présente comme un disque bombé au centre. Son diamètre est de 100.000 années-lumière et son épaisseur est de 20.000 années-lumière au centre, 2.000 ailleurs. Notre Soleil se trouve à peu près dans le plan moyen de symétrie et, nous l'avons dit, bien loin du centre. Cette position décentrée du Soleil fut mise en évidence par l'astronome américain Shapley, en 1918. Nous sommes incapables de sonder optiquement le centre de la galaxie, du fait de la présence obscurcissante des poussières interstellaires qui s'interposent par rapport à nous. Nos connaissances proviennent presque essentiellement de la radioastronomie, puisque les ondes radio, elles, ne sont pas absorbées. Ainsi sommes-nous parvenus à situer le centre galactique dans la direction de la constellation du Sagittaire.

La configuration spiralée de notre galaxie fut établie par la détection des ondes radio émises par les nuages froids d'hydrogène. Ceux-ci sont disséminés dans toute la Galaxie et émettent sur une longueur d'onde de 21 cm. La détermination des positions et mouvements de ces nuages ne laisse aucun doute quant à la structure spiralée. Notre Soleil se trouve sur la bordure intérieure d'un bras en spirale.

Galaxie spirale similaire à la nôtre, vue du haut.

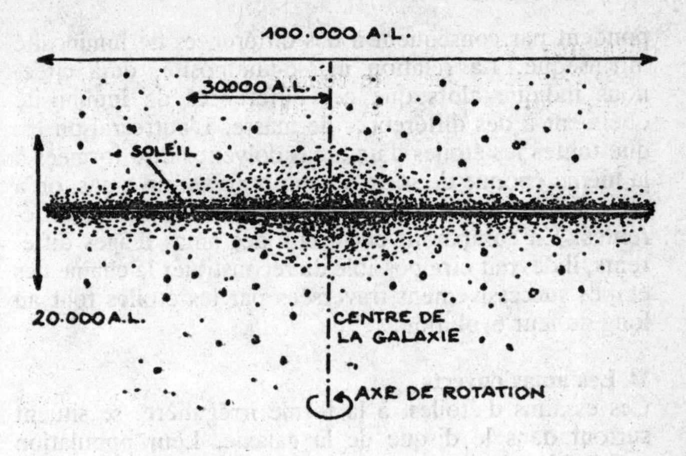

Notre galaxie vue de profil. Notre soleil se trouve à 30.000 années-lumière du centre.

Les amas stellaires

Le système solaire se situe dans une partie du ciel où les étoiles se répartissent selon une densité moyenne. L'étoile la plus proche du Soleil, Proxima Centauri est à quatre années-lumière de notre système et on estime que la distance moyenne qui sépare les étoiles de la Galaxie avoisine les six années-lumière.

Cependant, dans certaines régions du Ciel, on rencontre de véritables concentrations d'étoiles, qu'on appelle des amas stellaires. Certains sont fameux, tel l'amas des Pléiades dans la constellation du Taureau où, à l'œil nu, on distingue seulement quelques étoiles.

Les amas d'étoiles représentent un objet d'étude privilégié pour les astronomes, et ce, pour deux raisons. La première est que toutes les étoiles peuplant un amas sont globalement situées à une distance identique par rapport à nous; les différences de luminosité apparentes correspondent par conséquent à des différences de luminosité intrinsèque. La relation masse-luminosité, déjà citée, nous indique alors que ces différences de luminosité obéissent à des différences de masse. L'autre raison est que toutes les étoiles d'un amas doivent s'être formées à la même époque de sorte qu'en observant un amas, on a affaire à des étoiles du même âge mais de masses différentes. En comparant entre eux des amas d'âges différents, il devrait être possible de reconstituer la chaîne des étapes successivement traversées par les étoiles tout au long de leur évolution.

■ Les amas ouverts

Ces essaims d'étoiles, à la forme irrégulière, se situent surtout dans le disque de la galaxie. Leur population peut varier de quelques dizaines à quelques milliers d'étoiles relativement clairsemées.

Ces amas ne sont pas des associations stables et finissent par se disperser suite à des perturbations gravitationnelles issues d'autres étoiles. On estime que l'espérance de vie de la plupart des amas ne dépasse pas un million d'années et on trouve en leur sein de nombreuses étoiles jeunes et brillantes. On y rencontre souvent des quantités importantes de matière interstellaire dont on peut prévoir qu'elle donnera naissance à de nouvelles étoiles.

L'amas le plus proche est celui des Hyades qui se trouve à 108 années-lumière de nous tandis que le plus éloigné est à 22 000 années-lumière. Certains sont visibles à l'œil nu : Praeseppe, surnommée la ruche, dans la constellation du Cancer, ou encore la jolie «Boîte à Bijoux», autour de Kappa Crucis, dans la Croix du Sud.

■ Les amas globulaires

Ces essaims d'étoiles présentent une symétrie sphérique et une densité centrale telle que l'on ne peut y résoudre les étoiles, même à la lunette. Ils peuvent regrouper des centaines de milliers d'étoiles, fortement concentrées dans un volume réduit.

C'est encore l'astronome Shapley qui, en étudiant la structure de notre galaxie, put déterminer les distances de la plupart des amas connus, 120 à l'heure actuelle. Ses travaux eurent un grand retentissement lors de leur publication en 1917. Ils démontraient sans aucun doute possible que les amas globulaires, tout en appartenant à notre Galaxie, se situaient à des distances telles qu'il fallait revoir les dimensions de celle-ci. Il parvint à déterminer ces distances grâce aux étoiles variables RR Lyrae, présentes dans beaucoup de ces amas. En connaissant la luminosité intrinsèque de ces étoiles, il est facile, nous l'avons vu, d'en déduire leur distance, qui sera celle de l'amas considéré.

La répartition de ces amas n'est pas aléatoire. S'ils nous paraissent se presser dans la constellation du Sagittaire, c'est parce qu'ils sont distribués dans un espace sphérique dont le centre correspond à celui de notre Galaxie, mais, pour la plupart, en dehors du plan médian de celle-ci. L'apparente concentration d'amas globulaires dans le Sagittaire signifie que, dans cette direction, nous portons notre regard vers le centre galactique, là où justement la concentration d'amas est plus forte.

Les amas globulaires décrivent autour du noyau galactique des ellipses assez inclinées par rapport au plan principal du système. Ils représentent, contrairement aux amas ouverts, des ensembles stables qui peuvent remonter très loin dans le temps.

■ Ceci nous amène à la question des **populations stellaires** dont on distingue deux groupes principaux, localisés dans des régions différentes du ciel.

■ **Les étoiles de la population** I comptent beaucoup d'étoiles chaudes, blanches et très lumineuses. A l'échelle cosmique, ce sont des étoiles jeunes, ce qu'atteste l'abondance de matière interstellaire à leur proximité. Nous avons déjà signalé que celle-ci est le berceau de nouvelles étoiles. Cette population se rencontre dans les amas ouverts, les bras des galaxies spirales et les nébuleuses diffuses.

Ces étoiles se caractérisent par une teneur élevée en métal par rapport aux autres. Rien d'étonnant à cela si l'on considère qu'elles sont issues de la matière interstellaire présente sous forme de gaz et de poussières. Cette matière provient en partie d'étoiles qui ont explosé auparavant, projetant dans l'univers les atomes créés à la suite des réactions nucléaires internes. Et parmi ceux-ci, on trouve des atomes de métal issus des différentes fusions nucléaires marquant une vie stellaire. Ainsi, au fil du temps, l'espace s'est enrichi d'atomes toujours plus lourds (plus complexes), dont se nourriront les astres nouveaux. Les régions de population I sont donc considérées comme des pépinières d'étoiles en formation. La nébuleuse d'Orion en est un exemple célèbre.

■ Les régions de **la population II** se composent d'étoiles plus vieilles, parmi lesquelles beaucoup de géantes rouges. Elles abondent particulièrement dans les amas globulaires et dans les noyaux des galaxies spirales. Il est logique que, dans les régions de populations II, la matière interstellaire soit plus rare puisqu'on y trouve beaucoup moins d'étoiles en formation ou même d'étoiles jeunes. Les étoiles principales ne sont plus sur la séquence centrale et présentent des signes de vieillissement important. Aussi peut-on affirmer que les amas globulaires sont âgés, bien plus âgés que notre système solaire.

Rappelons encore que les deux amas globulaires les plus lumineux sont Omega Centauri et M 47, dans le Toucan.

La rotation de la Galaxie

La structure spirale de la Galaxie fut mise en évidence par l'étude des nuages d'hydrogène froid éparpillés dans la Galaxie, nuages émettant un rayonnement sur une longueur d'onde de 21 centimètres. Cette étude permit en outre d'établir que la Galaxie est affectée d'un mouvement de rotation différentielle.

Qu'est-ce à dire ? Tout simplement que la Galaxie ne tourne pas d'un seul bloc, comme un corps solide autour de son axe. En fait, chaque couche de la Galaxie tourne à une vitesse qui est fonction de sa distance au centre. C'est ainsi que les parties proches du centre ont une vitesse de rotation plus grande que celles de la périphérie.

Ces cent milliards d'astres, enchaînés les uns aux autres par la force de l'attraction, tournent donc autour de leur centre de gravité. Ce mouvement de rotation qui anime les galaxies est mis en évidence par l'applatissement de celles-ci dans le plan perpendiculaire à l'axe de rotation, ce qui leur donne cette forme caractéristique d'un disque. Ce mouvement s'arrêterait-il, ne fût-ce qu'un instant, aussitôt les étoiles seraient précipitées vers le centre galactique de la même façon que la Terre se précipiterait vers le Soleil si elle interrompait sa course autour du Soleil durant une fraction de seconde.

La rotation différentielle s'explique par le fait que les étoiles voisines du centre de la Galaxie sont celles pour lesquelles la force d'attraction du noyau galactique est la plus forte, tandis que les étoiles plus distantes sont évidemment soumises à une force moindre. Pour que les étoiles n'aillent pas s'écraser au centre mais restent sur une orbite constante, il faut qu'existe une force centrifuge contrebalançant l'attraction.

Soumis à ces deux forces, le Soleil est entraîné à une vitesse de 250 km/sec. sur son orbite galactique ; et nous autres, pauvres terriens, entraînés avec lui dans ce manège cosmique parcourons près d'un million de kilomètres à chaque heure qui passe ! Malgré cette vitesse effarante, il faut au Soleil quelque 220 millions d'années pour boucler une révolution complète autour du centre galactique. 220 millions d'années, voilà donc la durée de « l'année cosmique ». A ce calendrier-là, notre Soleil est bien jeune puisqu'il est dans sa vingt-cinquième année.

L'étude de la rotation galactique permet de calculer la masse totale de notre Galaxie puisque celle-ci doit équilibrer le mouvement de rotation. On estime que cette masse est égale à quelque 200 millions de soleils. La majeure partie de cette masse se trouve concentrée dans les étoiles, le reste dans les gaz et la poussière interstellaire.

Le monde des galaxies

Pendant longtemps, on crut que la plupart des galaxies étaient isolées dans l'espace et formaient des « Univers-îles ». Nous savons maintenant qu'il n'en est rien et que l'existence normale d'une galaxie se déroule au sein d'un groupe, d'un amas de galaxies. Celles qui sont solitaires ne le sont que parce qu'elles ont été mises à l'écart, proprement éjectées d'un amas suite à un déséquilibre gravitationnel.

Le télescope de cinq mètres d'ouverture du Mont Palomar nous révèle des milliards de galaxies dont la plupart se regroupent en amas ; certains de ceux-ci comptent jusqu'à 10 000 galaxies. Un de ces gigantesques amas galactiques est celui de la constellation d'Hercule, distant d'environ trois cents millions d'années-lumière. L'amas de la Vierge rassemble quelque 2 500 galaxies.

Certains astronomes pensent même qu'il existe des amas d'amas, des super-amas qui représenteraient les systèmes physiques les plus vastes de l'univers, au sommet de la hiérarchie des systèmes organisés que nous connaissons.

Le Groupe Local

Notre Galaxie s'inscrit aussi dans un groupe, tout naturellement appelé « Groupe local ». Il contient une vingtaine de membres dont notre Galaxie et celle d'Andromède sont les plus importants, situées de part et d'autre du centre.

Parmi les autres membres, on peut retenir deux galaxies satellites de la nôtre, **le petit et le grand Nuages de Magellan** que l'œil nu perçoit comme de faibles halos lumineux.

Très semblable à notre Galaxie par sa taille, sa forme et le nombre d'étoiles qu'elle contient, **la galaxie d'Andromède** joue en quelque sorte un rôle de miroir pour nous ; l'image qu'elle nous offre est une bonne approximation de celle de notre Galaxie.

La détermination des distances galactiques repose en grande partie sur la relation période-luminosité des Céphéides contenues dans les galaxies. Les super-géantes servent également d'indicateurs de distance si l'on suppose qu'elles ont toutes à peu près le même éclat intrinsèque. Pour les galaxies plus lointaines, on fait appel au décalage spectral.

Après des corrections successives, on situe maintenant Andromède à 2 200 années-lumière et les Nuages de Magellan, visibles de l'hémisphère Sud, à 150 000 a.l.

Le Groupe Local contient encore plusieurs autres galaxies moins importantes, classées comme galaxies naines. Seule leur proximité a permis de les découvrir, ce qui laisse à penser que dans l'univers plus lointain, de nombreuses galaxies échappent au regard du télescope le plus puissant. Ne soyons donc pas blasés, l'univers nous réserve bien des surprises pour nos vieux jours.

Les super-amas

Nous avons remarqué que l'organisation collective des étoiles ne s'arrête pas aux amas puisqu'il semble que ceux-ci s'organisent eux-mêmes en super-amas. Notre Groupe local s'apparenterait alors au **super-amas de la Vierge** au sein duquel toutes les galaxies seraient animées d'un mouvement de rotation autour de leur centre de gravité.

Les limites de l'univers

On en revient ainsi à cette image d'un grandiose carrousel cosmique entraînant dans sa ronde silencieuse des milliers de milliards d'astres. Les limites de ce carrousel sont mal définies. *La question de savoir si l'univers est fini ou infini n'est toujours pas résolue.* Récemment, les astronomes ont détecté un quasar situé à quelques douze milliards d'années-lumière. Ce serait l'objet le plus éloigné que l'on connaisse. Au-delà de cette distance, la vitesse de récession des galaxies atteindrait celle de la lumière et leur rayonnement ne nous parviendrait donc plus. C'est ce qu'on appelle *l'horizon cosmologique*, au-delà duquel rien ne peut plus être observé.

Cette limite ne doit pas nous inquiéter car nous n'avons même pas fait le tour de notre Galaxie alors que le télescope nous en dévoile dix milliards d'autres, comparables à la nôtre et séparées les unes des autres par une distance moyenne d'un million d'années-lumière.

Classification de Hubble

Les photographies prises à partir de télescopes nous montrent clairement que les galaxies n'ont pas toutes la même forme mais il est remarquable qu'elles puissent être regroupées en quelques classes seulement, comme nous le montre la classification de Hubble, établie dans les années vingt.

D'après cette classification, on distingue trois groupes principaux de galaxies : **les elliptiques, les spirales et les spirales barrées.** Les galaxies irrégulières, bien que reconnues, n'entrent pas dans cette classification.

Aux elliptiques, on ajoute un indice traduisant leur applatissement, depuis Eo (sphérique) jusque E7 (très applatie). Les spirales vont des Sa (très large condensation centrale, bras presque inexistants) aux Sc (petits noyaux, bras déployés). Les spirales barrées se subdivisent de la même façon en SBa, SBb et SBc. Dans celles-

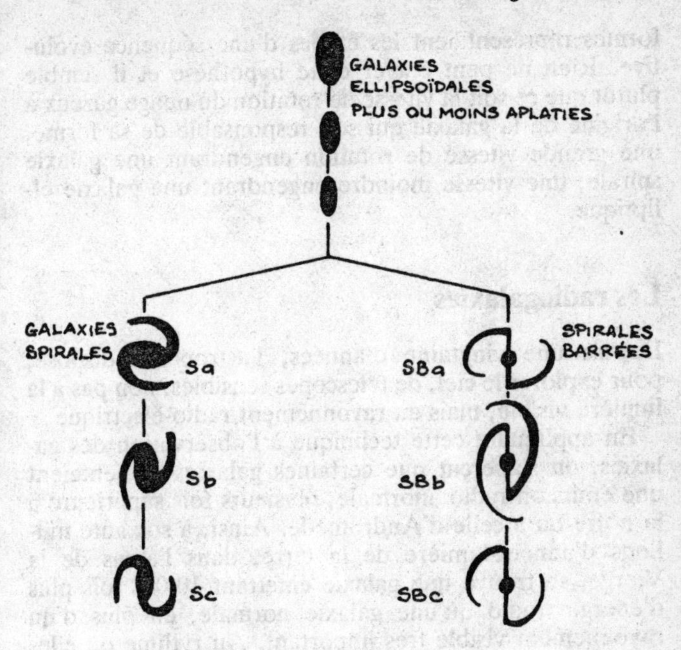

Système de classification des galaxies de Hubble.

ci, les bras, beaucoup moins développés, ne partent plus directement du noyau mais forment les prolongations d'une base lumineuse qui traverse le noyau. Notre Galaxie et celle d'Andromède sont des galaxies spirales moyennes.

La distinction faite entre galaxies spirales et elliptiques ne recouvre pas uniquement des différences morphologiques mais aussi des différences de constitution : les spirales recèlent un grand nombre d'étoiles bleues et jaunes de la catégorie des super-géantes, ainsi que de la matière interstellaire. Elles semblent avoir atteint un stade d'évolution moins avancé que les galaxies elliptiques où abondent les géantes rouges.

D'abord, on fut tenté de croire que ces différentes

formes représentaient les étapes d'une séquence évolutive. Rien ne peut étayer cette hypothèse et il semble plutôt que ce soit la vitesse de rotation du nuage gazeux à l'origine de la galaxie qui soit responsable de sa forme, une grande vitesse de rotation engendrant une galaxie spirale, une vitesse moindre engendrant une galaxie elliptique.

Les radiogalaxies

Depuis une vingtaine d'années, l'astronome dispose, pour explorer le ciel, de télescopes sensibles, non pas à la lumière visible, mais au rayonnement radio-électrique.

En appliquant cette technique à l'observation des galaxies, on s'aperçut que certaines galaxies présentaient une émission radio anormale, plusieurs fois supérieure à la nôtre ou à celle d'Andromède. Ainsi, à soixante millions d'années-lumière de la terre, dans l'amas de la Vierge, se trouve une galaxie émettant 10 000 fois plus d'énergie radio qu'une galaxie normale, en plus d'un rayonnement visible très important. Au rythme où elles dépensent leur énergie, il n'est pas étonnant que ces radiogalaxies — c'est ainsi qu'on les appelle — ne vivent «que» quelques millions d'années.

On parvient à les identifier en cherchant, avec un télescope puissant, quel objet visible correspond à la source radio préalablement décelée. La première radiogalaxie à être identifiée optiquement fut, en 1954, Cygnus A, située à 700 millions d'années-lumière.

Plusieurs hypothèses furent avancées pour expliquer le fantastique rayonnement de ces objets exceptionnels. On pensa tout d'abord qu'il pouvait être produit lors de collisions entre galaxies. La faible probabilité de telles collisions a mis cette hypothèse au rencart. On croit plutôt que cette énergie colossale serait due à un rayonnement synchroton dans lequel des électrons se déplaceraient à une vitesse proche de la lumière dans un champ magnétique très intense. Ce processus aurait été provoqué par de violentes explosions survenant à l'intérieur même de ces galaxies. Mais dans l'état actuel de nos connaissances, rien ne permet d'expliquer l'origine de ces explosions.

Les quasars

C'est encore la radio-astronomie qui aboutit à une découverte surprenante, celle des quasars, abréviation de *quasi stellar astronomical radio-sources*.

Dans les années soixante, alors qu'on cherchait à identifier optiquement des objets que l'on prenait pour des radiogalaxies, on eut la surprise de trouver non pas une radiogalaxie, mais un objet lumineux pareil à une étoile, d'où cette appellation de quasars. Cependant les propriétés exceptionnelles de ces objets ne pouvaient les faire passer pour des étoiles. Les astronomes se trouvaient en présence d'objets inconnus, objets représentant encore aujourd'hui une des plus grandes énigmes de l'astronomie contemporaine.

Les quasars se distinguent d'abord par des vitesses de récession énormes qui laissent supposer que ce sont les objets les plus éloignés de tous ceux que nous connaissons. En effet, la constante de Hubble nous dit que, plus un astre s'éloigne rapidement, plus sa distance par rapport à nous est grande. Le spectre des quasars traduisait une vitesse de fuite proche de celle de la lumière, ce qui les situait à quelques dix milliards d'années-lumière de nous.

Ici aussi, la quantité énorme d'énergie émise sous forme de rayonnement radio et de lumière visible ne pouvait manquer de surprendre. On était en droit de se demander comment un objet de la taille d'une étoile pouvait émettre autant d'énergie que des milliers de galaxies ordinaires. Quelle est la source de ce rayonnement équivalent à des milliards de soleils réunis, source dont la dimension ne dépasse pas celle d'une grosse étoile ?

Les processus de réactions thermonucléaires à l'œuvre dans les étoiles sont incapables de justifier une telle énergie. Il s'agit donc bel et bien de nouveaux corps célestes aux propriétés inconnues.

Certains ont suggéré qu'un quasar pouvait être le résultat d'une explosion en chaîne de supernovae. Même en admettant que 100 000 supernovae explosent à la fois, cela n'expliquerait pas encore l'énergie stupéfiante libérée par un quasar. Une hypothèse plus plausible considère un quasar comme un objet de masse énorme (peut-être un noyau de galaxie) en train de s'affaisser sur lui-même dans une gigantesque implosion. Il pourrait alors être associé à un trou noir qui, en capturant la matière environnante, l'animerait d'une vitesse telle que des collisions brutales d'atomes surviendraient, libérant une quantité d'énergie considérable.

D'autres astronomes ont envisagé le fait que le décalage spectral vers le rouge pourrait être associé à un champ gravitationnel extrêmement intense, comme le suggère la théorie de la relativité. Dans ce cas, un quasar ne serait pas aussi distant qu'on le pensait et son énergie en serait amoindrie. Cette hypothèse débouche sur une autre énigme : la pesanteur sur un tel astre devrait être telle que la matière y serait soumise à des conditions physiques totalement inconnues.

En tout cas, si les quasars se situent réellement aussi loin qu'on le pense, ils sont les témoins privilégiés d'un stade primitif de l'évolution de l'univers puisque, dans les profondeurs de l'espace, voir loin, c'est voir dans le passé. Si nous ne découvrons pas de quasars plus proches de nous, on peut en déduire qu'ils sont les vestiges d'un univers encore à ses débuts, messagers de la nuit des temps.

Les quasars n'en finissent pas de susciter hypothèses et spéculations, d'alimenter des recherches nombreuses. Mais il est certain que la résolution de cette énigme sera riche en répercussions sur notre compréhension de l'univers.

L'expansion de l'univers

De tous temps, l'homme s'est efforcé de comprendre et d'expliquer la naissance et l'évolution de l'Univers. L'étude de ces vastes questions aboutit naturellement à la cosmologie, qui reste une tentation pour l'astronome. Comment celui-ci peut-il s'empêcher de tenter de comprendre la grande histoire du cosmos alors que ses recherches le font constamment voyager dans des espaces incommensurables ? Et nous savons qu'en observant loin dans l'espace, c'est en fait loin dans le temps que nous regardons. L'observation de la galaxie d'Andromède, à plus de deux millions d'années-lumière, nous plonge dans un lointain passé puisque la lumière que nous percevons a voyagé pendant plus de deux millions d'années avant de nous parvenir. Que dire alors de ces quasars étonnants qui nous emmènent à dix milliards d'années-lumière ? Pourraient-ils nous entraîner à remonter dans le temps ?

■ Diverses cosmologies se sont élaborées au vingtième siècle parallèlement au développement stupéfiant de l'astronomie mais il semble bien que la **théorie de l'univers en expansion** soit la plus admise dans la communauté scientifique. L'astrophysicien H. Reeves écrivait récemment : « L'observation nous montre que notre univers est en expansion. Je ne discuterai pas ici de la validité de cette thèse. Il y a aujourd'hui suffisamment de preuves en sa faveur pour qu'elle paraisse à peu près inévitable. C'est pourquoi la quasi-totalité des physiciens et des astrophysiciens s'y rallie. Je considère, au moins dans l'état présent des choses, ce consensus significatif ».

L'expansion de l'univers telle qu'elle est formulée repose sur une observation fondamentale déduite de l'étude spectrale des galaxies. Vers 1920, en étudiant systématiquement le spectre de celles-ci, on s'aperçut qu'il affichait toujours un décalage vers le rouge (redshift). Or, l'effet Doppler montrait qu'une source lumineuse s'éloignant d'un observateur voyait son spectre déplacé vers le rouge. Logiquement, on pouvait alors penser que les galaxies s'éloignaient toutes de la terre. En fait, *un observateur situé dans n'importe quel point de l'univers verrait également les galaxies fuir dans toutes les directions* et creuser toujours plus les distances. *L'univers est en expansion constante.*

En 1929, cette découverte fut suivie d'une autre, tout aussi remarquable, connue sous le nom de «loi de Hubble et Humason». Selon celle-ci, *la vitesse de récession d'une galaxie est directement liée à la distance qui nous en sépare.* En d'autres termes, si une galaxie A s'éloigne deux fois plus vite qu'une galaxie B, A est deux fois plus distante de nous que ne l'est B. Plus le spectre d'une galaxie est décalé vers le rouge, plus sa vitesse d'éloignement est importante et plus sa distance est grande.

■ Le «big bang»

Etant donné ce mouvement de fuite des galaxies, rien ne nous empêche de considérer le film des événements en sens inverse. En reculant dans le temps, nous verrions alors les galaxies se rapprocher les unes des autres, comme si ce recul dans le temps allait de pair avec un recul des distances. Et ce, jusqu'au moment où, à un temps zéro, les distances s'abolissent et toutes les galaxies s'agglutinent les unes aux autres pour former une masse indistincte.

Avant même que ne soit connue la loi de Hubble, l'astronome belge, Monseigneur Lemaître, avait émis l'hypothèse que toute la matière de l'univers était concentrée, à l'origine, en un point d'une densité infinie qu'il appelait *l'atome primitif.*

En admettant que ce mouvement d'expansion de l'univers nous permette de remonter jusqu'au moment originel de la création de l'univers, on estime que cet agrégat de matière hyperdense, cet atome primitif a dû exploser il y a quelque quinze milliards d'années pour enclencher le processus d'expansion de l'univers. Cette explosion primordiale fut surnommée «*Big Bang*» par le physicien Gamow.

D'après Gamow (1904-1968), tout au début, la matière n'existe que sous forme d'énergie, de rayonnement thermique. La température de plusieurs milliards de degrés empêche la formation d'atomes (la fusion de particules élémentaires, proton, neutrons, électrons est impossible). Cette température devait représenter plusieurs milliers de fois celle dégagée par l'explosion d'une bombe H.

Dans cette fournaise, les collisions entre particules sont si brutales que celles-ci ne peuvent s'associer pour former le moindre atome. L'Univers n'est encore que rayonnement.

On remarque que, dans le modèle de Gamow tout comme dans celui proposé par la Bible, les débuts de l'univers se manifestent par l'émission d'un rayonnement lumineux très intense. Et Dieu dit : Que la lumière soit.

■ **A mesure que l'expansion se poursuit** et qu'augmente le rayon de l'univers, *la température du rayonnement thermique initial diminue* rapidement. Neutrons et protons peuvent alors fusionner pour former les noyaux les plus simples, ceux de l'hydrogène, du deutérium (hydrogène lourd dont le noyau est composé d'un proton et d'un neutron) puis de l'hélium (dont le noyau est composé de deux protons et de deux neutrons).

Le refroidissement se poursuit parallèlement à l'expansion de l'univers *qui n'est encore qu'un nuage de gaz très chaud*.

■ **Après un million d'années,** la température est descendue à trois mille degrés. Des condensations se forment à l'intérieur du nuage composé principalement d'hydrogène ; elles donneront naissance aux *proto-galaxies*. C'est le début de l'ère stellaire. Les étoiles se forment et subsistent grâce aux réactions thermonucléaires qui produisent des éléments de plus en plus lourds (les noyaux des atomes sont composés de protons et de neutrons de plus en plus nombreux) par fusion des atomes, depuis l'hydrogène, jusqu'aux métaux ferreux. L'explosion d'une supernova éjecte dans l'espace des fragments de l'étoile. Ceux-ci, par la suite, mêlés à l'hydrogène et aux autres éléments déjà présents dans l'espace, enrichissent toujours plus les gaz intersidéraux dans lesquels on trouvera finalement les quatre-vingt-douze éléments constitutifs de la vie sur terre. Ces événements lointains survenus au cœur d'étoiles déjà mortes, ont préparé l'avènement d'autres étoiles, et parmi celles-ci, notre système solaire. Ce qui fait dire à Carl Sagan : «Nous sommes composés de matériau stellaire». Sans ces fabuleux réacteurs nucléaires que sont les étoiles, sans les matériaux projetés dans l'espace lors de leurs explosions, la vie ne serait pas apparue, nous n'aurions jamais vu le jour.

L'expansion suivit son cours. Après des dizaines de millions d'années, apparaissent sur terre les premières formes de vie. L'évolution allait se charger de rendre ces formes de plus en plus complexes pour aboutir à la merveilleuse complexité qu'est l'homme.

■ Mais **qu'en est-il du rayonnement thermique initial?** Nous savons qu'il a continué à se refroidir mais a-t-il disparu pour autant de l'univers? Gamow avait calculé de façon théorique qu'il devait exister un résidu de ce rayonnement primitif, ce qu'on appelle le rayonnement cosmologique. Gamow avait même précisé qu'il devait s'élever à quelques degrés au-dessus du zéro absolu. Mais il lui manquait les moyens pour confirmer la chose expérimentalement.

Or, dans les années soixante, des chercheurs américains du Bell Telephone Laboratory étudiaient l'intensité d'un bruit radio dans le cadre d'un programme de communication par satellites. Ils découvrent alors l'existence d'un rayonnement provenant non pas d'une source particulière mais de tous les points de l'espace, comme si ce rayonnement emplissait tout l'univers.

Cette découverte fortuite venait confirmer ce que Gamow avait prédit dans sa théorie du Big Bang : la présence d'un rayonnement résiduel de quelques degrés Kelvin, sous forme de photons peu énergétiques baignant l'univers de toutes parts.

Cette découverte fit sensation «Elle devait marquer une révolution dans la cosmologie car, pour la première fois, une théorie cosmologique s'était avérée capable de prédire... On pourra dire que la paléontologie de l'Univers a commencé en 1965». (R. Omnès)

Les étoiles et l'imaginaire

Nous voilà donc changés en physiciens, en biologistes. Nous voilà donc jugeant l'homme à l'échelle cosmique, l'observant à travers nos hublots comme à travers des instruments d'étude. Nous voilà, relisant notre histoire. (Saint-Exupéry, Terre des Hommes)

Jusqu'ici, nous avons considéré les étoiles comme des données physiques; depuis leurs origines, il y a quelques milliards d'années, nous avons traversé les temps pour aboutir à l'époque actuelle dont les énigmes ont pour noms, quasars, trous noirs, etc. Durant plus de vingt siècles, l'homme s'est efforcé de se faire une idée de la structure du cosmos et de répondre de façon plus ou moins rationnelle aux énigmes qui l'ont sans cesse accablé. La somme des connaissances qu'il a rassemblées est impressionnante. Il passe de l'infiniment petit à l'infiniment grand, de l'atome à l'étoile et pourtant il lui reste encore à soulever une grande partie du voile qui recouvre la mystérieuse réalité de l'univers.

Les nouveaux développements technologiques dans la recherche et la navigation spatiales mettront certainement en lumière de nouveaux aspects de la question dans les années qui viennent. Mais comment savoir si l'homme, cet être toujours en quête de savoir et de domination, sera un jour capable, tel un démiurge, d'avoir une emprise réelle sur la mécanique cosmique, de faire de l'univers un monde à sa mesure ? Question qui fait rêver, et frémir quand on pense aux forces en jeu dans cette conquête de l'espace.

En dehors de cette question, les étoiles et en particulier la plus proche d'entre elles, le soleil, n'ont cessé de fasciner le commun des mortels. Rien d'étonnant à cela si l'on songe que chacun de ces millions de corps célestes forme un monde à lui tout seul. Un monde qu'on ne peut saisir à travers les notions courantes de temps et d'espace. Il a fallu trouver de nouveaux concepts, de nouvelles échelles de mesure*; on parle de masses solaires, d'années-lumière, de dés à coudre pesant plusieurs milliers de tonnes. Il faut utiliser des nombres réellement astronomiques pour soupeser cette réalité.

Mais l'univers et les corps célestes qui le traversent en silence provoquent un autre type de fascination : depuis toujours, il a frappé l'imagination de l'homme et suscité en lui des émotions diverses. Cet impact n'est pas réservé à l'homme primitif puisque même un philosophe comme Pascal se disait « effrayé par le silence éternel de ces espaces infinis ».

Confronté à cette part d'inconnu, de mystérieux, l'homme a réagi vis-à-vis du soleil et des étoiles comme il l'avait fait pour tout ce que son esprit ne pouvait immédiatement cerner : en leur attribuant des pouvoirs surnaturels.

Une petite promenade à travers les mythologies de tous temps et de tous lieux illustrera cette propension.

* Dirac, prix Nobel de physique en 1933, disait que « les théories nouvelles sont construites en partant d'idées dont on ne peut définir le contenu par des mots connus ».

C'est le récit captivant des différentes façons dont l'homme a pu interpréter les réalités cosmiques. Un récit poétique qui témoigne de la force imaginaire de l'homme et de ses tentatives émouvantes de projeter ses désirs terrestres sur ces points lumineux qui brillent là-haut dans le ciel.

Tout à l'heure, si vous regardez le soleil par la fenêtre, ou les étoiles qui ne tarderont pas à décorer votre nuit, contemplez-les avec les yeux d'un Eskimo, d'un Pygmée, d'un Egyptien de l'Antiquité ou d'un prêtre d'une tribu de Nouvelle-Guinée. Et pour une fois n'essayez pas de comprendre, mais laissez-vous emporter.

Les étoiles dans la mythologie

Certains de ces récits mythologiques font penser à des contes. Ecoutez celui-ci, un vieux mythe indien :

Le Créateur, Tirawa, créa les étoiles et les fit toutes puissantes. Il fit du Soleil et de l'étoile du Matin les chefs des étoiles domiciliées dans le village de l'Est, les étoiles-hommes. De l'étoile du Soir et de la Lune, il fit les chefs des étoiles du village de l'Ouest, les étoiles-femmes. La logique de l'histoire nous dit que les étoiles-hommes se mirent à désirer les étoiles-femmes et que ce désir fut aussi partagé par leurs chefs. C'est ainsi que l'étoile du Soir épousa l'étoile du Matin, que le Soleil épousa la Lune. Et les enfants de ces mariages resplendissants ne sont autres que les habitants de notre terre.

Voilà des débuts plus réjouissants que les nôtres, gâtés par une pomme de sinistre mémoire...

On trouve une relation similaire parents-enfants dans le culte solaire des Yucas. Le Soleil y est considéré comme le dieu principal et, sur terre, le maître de l'empire s'identifie au Soleil. Et tous les habitants de l'empire sont ses enfants.

Cette identification d'un dirigeant politique au Soleil n'est pas spécifiquement indienne. Songeons à Louis XIV, le Roi-Soleil; d'autres exemples sont encore plus proches de nous.

Chez les Aztèques aussi, le Soleil et la Lune étaient divinisés et on leur construisait des pyramides. Et le ciel nocturne leur apparaissait comme le pelage tacheté d'un jaguar.

Il en va différemment dans certaines mythologies chinoises. Dans le mythe de P'an-Kon, le Soleil et la Lune sont les yeux de l'Etre cosmique. Quand celui-ci ouvre l'œil gauche, celui du Soleil, c'est le jour. Quand il ouvre l'œil droit, celui de la Lune, c'est la nuit.

Un autre mythe chinois raconte qu'il y a très longtemps, il y avait dix soleils qui brillaient chacun à leur tour dans le ciel. Mais un beau jour, ils apparurent tous les dix en même temps. Yi, un archer très adroit, oiseleur de surcroît, parvint à abattre les neuf soleils surnuméraires et sauva ainsi la terre d'un embrasement général. Depuis lors, il n'y a plus qu'un soleil qui utilise un char pour ses déplacements célestes.

Chez beaucoup de peuples de l'Antiquité, le phénomène des éclipses solaires a toujours provoqué une frayeur particulièrement grande. C'était à chaque coup l'occasion d'une forme de psychose collective, comme l'attestent des documents de la Chine ancienne. C'était la dégénérescence des mœurs royales, ou quelqu'autre faute impardonnable qui était, à leurs yeux, la cause de l'éclipse; les dieux avaient alors permis qu'un horrible dragon s'empare du Soleil et l'avale. Dans tout le pays, on organisait alors une sorte de cérémonie d'exorcisation au cours de laquelle roulements de tambours, vociférations stridentes et jets de flèches étaient orchestrés pour effrayer le dragon et lui faire lâcher le soleil. Cette campagne d'intimidation portait rapidement ses fruits puisque, dans la Chine ancienne, une éclipse solaire ne dure jamais très longtemps!

Dans toute la mythologie solaire, on peut relever deux

préoccupations centrales. L'une provient de la peur indéfinissable de l'homme qu'un beau jour, ou plutôt, qu'un mauvais jour, le soleil cesse de luire. D'où une quantité de cultes, de rituels pour qu'il continue à briller. L'autre traduit un désir de s'approprier la puissance du soleil jusqu'à le capturer. Désir qui d'ailleurs s'est maintenu au cours des siècles. Car aujourd'hui, grâce au recours magique de la technologie moderne, l'homme ne s'est-il pas mis en tête de maîtriser cette énergie qui nous vient du ciel, l'énergie solaire ?

Rites pour faire briller le soleil

Dans l'Egypte Ancienne, le Pharaon était la personnification du Soleil. Lors d'une cérémonie solennelle, il faisait rituellement le tour des murs du temple pour s'assurer que le Soleil accomplirait sa course quotidienne à travers le ciel, sans l'interruption d'une éclipse ou d'un accident quelconque. Et Akhnaton, dans son Hymne au Soleil, lui adressait cet hommage « Lorsque tu te lèves, les hommes vivent ; quand tu te couches, ils meurent, car tu es le temps qui s'écoule et c'est par toi que l'on vit. Tous les yeux sont fixés sur ta beauté jusqu'à ce que tu disparaisses derrière l'horizon ».

En Nouvelle Calédonie, quand le sorcier veut faire venir le Soleil, il allume un feu rituel pour dissiper les nuages.

Aux îles Banks, ils adoptaient une autre technique pour persuader le Soleil de répandre généreusement sa lumière et sa chaleur. Un faux Soleil fait d'une pierre ronde enroulée de tresses rouges et décorée de plumes de hibou était accroché à un arbre. On chantait alors les incantations voulues à voix basse et le faux Soleil était censé attirer le vrai.

Au Pérou, les Indiennes faisaient tinter les ornements de cuivre et d'argent qu'elles portaient sur la poitrine et elles soufflaient dans la direction du brouillard, espérant ainsi le disperser et encourager le Soleil à faire briller leurs parures.

Les Grecs étaient persuadés que le Soleil traversait le ciel sur un char, tiré par quatre chevaux. Sans doute pensaient-ils qu'après une année de labeur, char et chevaux devaient être en bien mauvais état. C'est pourquoi, chaque année, à Rhodes par exemple, on dédiait au Soleil quatre chevaux robustes et un char neuf pour qu'il soit à même de poursuivre confortablement sa tâche. On retrouve ce rituel chez les Spartiates et chez les Perses.

Rites pour le capturer

Au Pérou, dans une passe des Andes, on tendait un filet entre deux tours. Pris dans les mailles du filet, il ne pouvait ainsi s'en échapper. De nombreux récits circulaient également qui racontaient comment les hommes avaient attrapé le Soleil avec un nœud coulant.

En Nouvelle Guinée, les chasseurs employaient la ruse pour que le Soleil ne disparaisse avant la fin de la chasse, ce qu'ils redoutaient par dessus tout. Ils prenaient un bout de ficelle, en faisaient une boucle et regardaient le Soleil à travers la boucle. Puis ils serraient la boucle et la nouaient en disant : «Attendez que nous soyons rentrés et nous vous donnerons la graisse d'un porc».

Les Motumatus répugnaient à manger dans l'obscurité et ils connaissaient des formules magiques qui l'empêchaient de se coucher.

Le ciel et la mythologie

L'interprétation mythologique du ciel la plus répandue est que c'est la demeure de l'être suprême. Il ne faut pas aller très loin pour entendre : «Notre Père, qui es au ciel».

Le long ruban de la Voie lactée peut symboliser des choses qui diffèrent d'une culture à l'autre. Tantôt c'est un énorme tronc d'arbre situé à côté de la maison divine, tantôt elle représente les troupeaux innombrables des dieux, ce qui représentait pour les peuples de pasteurs le signe d'une richesse incommensurable.

Les étoiles de la Voie Lactée sont parfois perçues comme les feux des campements divins ou comme les yeux du ciel, les ouvertures par lesquelles la divinité peut contempler le monde.

Une étoile filante est un des yeux de l'être suprême qui s'approche de la terre pour mieux voir ce qui s'y passe.

Nous avons déjà parlé de l'image poétique du jour et de la nuit qui s'expliquent par le fait que les dieux ouvrent ou ferment les yeux.

Les aborigènes d'Australie considèrent la Voie lactée comme un grand fleuve qui traverse le ciel tandis que les Eskimos y voient les traces d'un héros qui jadis foula les neiges du ciel. Dans le Queensland, c'est la fumée produite par des herbes choisies que brûlent des femmes montées au ciel, pour que les âmes des morts ne se perdent en route.

Selon d'anciens récits, cet autre monde qu'est le ciel, avec sa faune et sa flore spécifiques, était jadis très rapproché de la terre. Les Thay disaient même qu'il était possible de le toucher. Les Arunta d'Australie pensaient qu'il était supporté par des pieux et craignaient qu'il ne s'écrase un jour sur la terre. Aux îles Samoa, on croyait que certaines plantes, en poussant, avaient légèrement soulevé le ciel avant que n'arrive un géant pour le soulever tout à fait.

D'après les Ewé, au Niger, le ciel était à l'origine si près de la terre que, lorsqu'on allumait un feu, la fumée montait aux yeux des dieux du ciel, ce qui les importunait considérablement. Ils décidèrent alors de plier armes et bagages et d'emporter le ciel encore un peu plus haut.

Chez les Maori de Nouvelle Zélande, à l'origine, le Ciel et la Terre étaient unis dans un embrassement cosmique perpétuel. Mais leurs enfants trouvaient très déplaisant d'être forcés de vivre dans l'obscurité et ils séparèrent leurs parents de façon violente. Aujourd'hui encore, les époux se lamentent de leur séparation : la brume qui parfois monte des vallées est associée aux tristes soupirs de la Terre tandis que les gouttes de rosée sont les larmes versées par le ciel dans le silence de ses nuits solitaires.

Malgré cette séparation, le Ciel n'est pas éloigné de la Terre au point que toute communication leur soit impossible. L'horizon est une ligne de frontière où ils se touchent et où ils peuvent se rencontrer. De plus, l'arc-en-ciel est un pont commode suspendu entre ciel et terre ; lui aussi permet les retrouvailles pour les amants séparés.

La symbolique des étoiles

En dehors de toute approche systématique, les images que les étoiles ont suscitées chez nos ancêtres témoignent à merveille d'une faculté imaginative non dénuée d'une logique propre.

Chez les Yakoutes, peuplade de Sibérie, ces points brillant au loin dans le ciel doivent être les fenêtres du monde qui permettent l'aération de celui-ci. Quelques étoiles sont des portes étroites que l'initié doit franchir pour accéder au ciel.

Les Aztèques appellent les étoiles mimixcoatl, serpents-nuages. Elles servent de nourriture au Soleil qui, grâce à cet aliment céleste, se lève chaque matin pour inonder les hommes de sa lumière.

Pour les Mayas, les étoiles sont les yeux de la nuit d'où jaillissent des rais de lumière. Des Indiens du Guatémala voient en elles les âmes des morts d'où, curieusement, émanent des insectes qui descendent sur terre.

Pour les Incas, les étoiles sont les courtisanes de la Lune. De plus, hommes et animaux peuvent trouver leur image représentée dans les constellations. Le Créateur l'a voulu ainsi pour qu'une image persiste dans le ciel, et ce même après la mort sur terre.

En Finlande, les étoiles étaient considérées autrefois comme des fragments de la coquille de l'œuf cosmique qui a donné naissance à notre monde.

Une symbolique particulière est souvent réservée à l'étoile polaire et à l'étoile du matin, Vénus.

L'étoile du matin était redoutée par les Mexicains qui, au petit jour, fermaient portes et fenêtres pour empêcher que ses dangereux rayons ne pénètrent à l'intérieur. Pour l'effrayer, on accrochait aussi sur la porte extérieure un masque de mort.

Les Mayas prenaient l'étoile du matin pour le frère aîné du Soleil. Elle était représentée sous les traits d'un homme corpulent et grossier, au visage repoussant, affublé d'une grande barbe.

Les Arabes en avaient une meilleure opinion puisqu'ils la comparaient au front de la bien-aimée : « Quoique dans le ciel de ta beauté, tu aies un front aussi resplendissant que Vénus, Vénus se mettra à danser de joie si tu ne dégages pas ton front des cheveux qui viendraient à le couvrir ».

L'étoile polaire, elle, est considérée comme le centre absolu autour duquel pivote éternellement l'univers. C'est par rapport à elle que se définit la position des étoiles des navigateurs, celle des nomades, de tous les errants des déserts, de la mer et du ciel. Selon les régions, on la symbolise sous la forme d'un pieu, d'un moyeu de roue, d'un nombril, d'une porte du ciel.

En somme, elle est le centre autour duquel tout se réfère, le Principe d'où tout émane, le Moteur qui meut l'univers et le Chef autour duquel gravitent les astres, comme une cour autour de son Roi.

L'étoile polaire indique aussi le trône de Dieu. De cet endroit, là-haut, il voit et surveille tout, intervient, récompense et châtie, imposant les lois et déterminant le destin du monde céleste.

Pour les Turcs, l'étoile polaire figurait le mât central de la tente céleste tandis que, pour les Mongols, c'était le Pilier d'Or auquel on attachait les chevaux de l'azur.

On le voit, les étoiles n'ont cessé d'alimenter l'imaginaire de l'homme, que ce soit au niveau des croyances, des superstitions, des mythes ou même des religions.

Ainsi, dans l'Ancien Testament, nous trouvons une

conception des étoiles assez proche de la mythologie. On y lit que les étoiles obéissent aux volontés de Dieu. Elles ne sont pas des créatures strictement inanimées, un ange veille sur chacune d'entre elles. De là, à voir dans l'étoile le symbole de l'ange, il n'y a qu'un pas ; l'Apocalypse parle d'étoiles tombées du ciel comme on parlerait d'anges déchus.

Au-delà des interprétations particulières propres à chaque peuple, ce qui, de façon générale, frappe dans les étoiles, c'est leur qualité de luminaire, de source de lumière...

Leur caractère céleste en fait aussi un symbole de l'esprit et reflète en particulier le conflit entre les forces spirituelles et matérielles, le conflit entre la lumière et les ténèbres. Les étoiles percent l'obscurité de la nuit, elles sont aussi des phares projetés sur la nuit de l'inconscient.

Avant de quitter la mythologie, quelques mots sur le Zodiaque. Il est répandu quasi universellement et à toutes les époques on le retrouve à peu près identique, avec sa forme circulaire et ses douze subdivisions. Faut-il y voir comme Descartes « un ridicule héritage des temps révolus », ou encore ironiser en disant que « l'astrologie est une science exacte que les astrologues ignorent » ? Peu importe. Retenons seulement, dans le cadre de ce chapitre, la mystérieuse force d'attraction que les astres en général exercent sur l'imagination de l'homme. Sans doute s'exerce-t-elle souvent aux dépens d'une certaine dose de naïveté. Mais ne faut-il pas être un tant soit peu « naïf » pour se laisser gagner par l'émerveillement, le merveilleux est-il seulement la patrie des poètes lunatiques ?

Le ciel et les poètes

Le Soleil

Un petit exercice : prenez le mot Soleil, et associez-le à ce qui vous passe par la tête. A quoi pensez-vous ? Dans la plupart des cas, ce mot suscitera par associations des pensées, des sensations, des souvenirs agréables : chaleur bienfaisante, vacances, océans, fleurs, etc. Le Soleil est d'ailleurs un agent publicitaire de première classe dont on sollicite les services pour vendre à peu près n'importe quoi.

Nombreux sont les poètes qui ont succombé, eux aussi, à la séduction solaire. Anciens et modernes ne se sont jamais lassés de célébrer la joie, la force de vie, l'énergie contenues l'astre du jour. Ainsi Jean Cocteau :

> Soleil, je t'adore comme les sauvages
> A plat ventre sur le rivage,
> Soleil, tu vernis tes chromes,
> Tes paniers de fruits, tes animaux.
> Fais-moi le corps tanné, salé ;
> Fais ma grande douleur s'en aller.
> Le nègre dont brille les dents,
> Est noir dehors, rose dedans.
> Moi je suis noir dedans et rose
> Dehors, fais la métamorphose,
> Change-moi d'odeur et de couleur
> Comme tu as changé Hyacynthe en fleur.
> Fais braire la cigale en haut du pin.
> Fais-moi sentir le four à pain.
> Fais-moi répandre mes mauvais rêves,
> Soleil, boa d'Adam et Eve.
> Que j'ai chaud ! C'est qu'il est midi
> Je ne sais plus bien ce que je dis.
> Je n'ai plus mon ombre autour de moi

> Soleil ! ménagerie des mois.
> Soleil, Buffalo Bill, Barnum,
> Tu grises mieux que l'opium.
> Tu es un nègre bleu qui boxe
> Les équateurs, les équinoxes.
> Soleil, je supporte tes coups ;
> Tes gros coups de poing sur mon cou.
> C'est encore toi que je préfère
> Soleil, délicieux enfer.

En 1910, Edmond Rostand écrit son Hymne au Soleil, poème dont les derniers vers sont célèbres.

> C'est toi qui, découpant la sœur jumelle et sombre
> Qui se couche et s'allonge au pied de ce qui luit,
> De tout ce qui nous charme a su doubler le nombre,
> A chaque objet donnant une ombre
> Souvent plus charmante que lui !
> Je t'adore, Soleil ! Tu mets dans l'air des roses,
> Des flammes dans la source, un dieu dans le buisson !
> Tu prends un arbre obscur et tu l'apothéoses !
> O Soleil, toi sans qui toutes choses
> Ne seraient que ce qu'elles sont !

Le grand poète anglais Milton, qu'on a parfois comparé à Homère et Virgile pour ses longs poèmes épiques, écrivit en 1667 son chef-d'œuvre, le Paradis perdu. Il y célèbre le Soleil avec des accents bibliques.

> Le premier des corps célestes que Dieu créa fut le Soleil,
> Et ce ne fut d'abord qu'une immense sphère sans lumière,
> Pourtant faite d'une substance éthérée.
> Ensuite, il forma la Lune, ronde en sa figure,
> Et des étoiles de toutes grandeurs
> Il sema le ciel comme un champ d'astres nombreux.

Ce poète n'était pas ignorant des découvertes astronomiques de l'époque et il rencontra même Galilée en Italie. La découverte de la rotation de la terre autour du Soleil lui fera dire : « Astre majestueux, tu domines la foule des constellations qui se tiennent à convenable distance de ton globe radieux. Cependant les planètes poursuivent en un ordre inviolable leurs célestes mouvements, mesurant de concert avec toi les jours, les mois, les ans. »

Mais la force vitale du Soleil a aussi alimenté un autre courant d'inspiration, issu non pas de sa présence vivifiante mais de l'angoisse de sa perte, de sa disparition.

L'image du soleil noir revient souvent, associée à l'angoisse de la mort, de la fin du monde. Cette image n'est pas récente mais elle a résisté au temps puisqu'on la trouve déjà dans l'Apocalypse et, plus près de nous, le « Soleil noir » est le titre d'une chanson de Barbara.

> Et je vis, quand l'Agneau eut ouvert le sixième sceau, qu'il se fit un grand tremblement de terre et le Soleil devint noir comme un sac de crin, la Lune entière parut comme du sang et les étoiles du ciel tombèrent vers la terre. (Apocalypse de Saint Jean)

> Le soleil était là qui mourrait dans l'abîme.
> L'astre au fond du brouillard, sans air qui le ranime
> Se refroidissait, morne et lentement détruit.
> Charbon d'un monde éteint. Flambeau soufflé par Dieu !
> (Victor Hugo)

> Ma seule étoile est morte et mon luth constellé
> Porte le Soleil noir de la Mélancolie.
> (Gérard de Nerval)

> Les étoiles brillaient dans le firmament. Tout à coup il me sembla qu'elles venaient de s'éteindre à la fois comme des bougies que j'avais vues à l'église. Je crus que les temps étaient accomplis et que nous touchions à la fin du monde annoncée dans l'Apocalypse de Saint-Jean. Je croyais voir un so-

> leil noir dans un ciel désert et un globe rouge de sang au-dessus des Tuileries. (Gérard de Nerval)

Le soleil noir, pour Barbara, ce n'est pas la catastrophe de la fin du monde, mais une catastrophe plus existentielle, celle de la détresse, du désespoir.

> Mais j'ai tout essayé, j'ai fait semblant de croire
> Et je reviens de loin et mon soleil est noir.
> Mais j'ai tout essayé et vous pouvez me croire
> Je reviens fatiguée et j'ai le désespoir.

Les étoiles

Si les étoiles brillent dans la nuit, on peut ajouter qu'elles brillent tout autant dans la littérature. Rares sont sans doute les écrivains qui n'aient fait appel, un jour ou l'autre, à l'image de l'étoile, image affublée de significations souvent bien divergentes. Un voyage à travers quelques images d'auteurs connus nous montrera à quel point les étoiles peuvent s'associer à différents gammes de sentiments, d'émotions, de passions. Victor Hugo, chez qui les images stellaires sont omniprésentes, ne confiait-il pas : « Toutes nos passions reflètent les étoiles » ?

Laissons-nous donc guider par les étoiles comme elles ont guidé, des siècles durant, les voyageurs de par le monde.

Nous allons voir que cette notion de voyage, voyage sur terre, mais aussi et surtout, voyage à travers le champ des étoiles, à travers l'Océan Céleste, est un thème récurrent de la littérature. Cette invitation au voyage ne séduit pas seulement les poètes ; même un savant comme Kepler s'y est laissé prendre : « Qui aurait cru autrefois que la traversée du Grand Océan était plus calme et moins dangereuse que la navigation dans les golfes étroits et traîtres de l'Adriatique et de la Baltique ? »

En avance de quatre siècles, il préconise même la construction de vaisseaux spatiaux, ce qui, à l'époque, devait paraître de la véritable science-fiction. «Créons des navires et des voiles adaptées à l'éther, et il y aura un grand nombre de gens pour n'avoir pas peur des déserts du vide. En attendant, nous préparerons pour les hardis navigateurs du ciel les cartes des corps célestes».

Ces navigateurs ne s'appellent pas encore «cosmonautes», mais, tout comme ceux-ci, ils sont soumis à une sélection sans pitié : «Nous n'admettons personne qui soit sédentaire ou corpulent, ou délicat; nous choisissons ceux qui passent leur vie à monter les chevaux de chasse ou vont fréquemment aux Indes en bateau, accoutumés à se nourrir de biscuits, d'ail et de poisson fumé. Mais surtout nous conviennent les petites vieilles desséchées, qui depuis l'enfance ont l'habitude de faire d'immenses trajets à califourchon sur des boucs nocturnes, des fourches, des vieux manteaux». (1609)

Et pourquoi pas sur des tapis volants?

Le voyage à travers l'espace a toujours été une réalité dans l'esprit des rêveurs et des poètes. L'imaginaire est un royaume sans limites, où tout est toujours possible, rejoignant en cela l'infini des espaces. Son exploration procure les délices de la liberté sans entraves, le conquérant de l'espace voit sa puissance illimitée, il ressent l'ivresse de l'absolu. H. More répond à l'appel des grands espaces.

> Mes ailes puissantes haut tendues, puis battant légèrement
> J'en balaie les étoiles, et ravive leur éclat.
> Alors toutes les œuvres de Dieu, d'une étreinte serrée,
> Je les presse tendrement dans mes bras élargis.
> Agile, mon esprit quitte cette motte visqueuse
> Et d'un pas léger, d'étoile en étoile,
> Plus rapide que l'éclair, passe au large et au loin,
> Mesurant les cieux sans bornes et leurs déserts.
> Et l'âme ne trouve rien pour lui barrer le passage,
> Car toujours la sphère azurée quand elle approche
> Cède, de nouvelles étoiles paraissent,
> Les murs du monde fuient devant elle.

Cette «motte visqueuse», la terre, il faut la quitter et s'élancer sans peur dans l'espace. Les pionniers, les grands explorateurs de l'âge classique, ont conquis de nouveaux continents. Maintenant c'est à la conquête des cieux qu'il faut partir. On ne peut s'empêcher de rapprocher cette dernière d'un thème fréquent dans la littérature et même dans la mythologie, celui de la quête associée au voyage. Le voyageur cosmique doit s'évader là-haut, dans l'espace, pour trouver la délivrance des «vanités terrestres».

> L'âme de l'Homme fut faite pour parcourir les cieux.
> Délicieuse délivrance de sa prison d'ici-bas!
> Là-haut, débarrassé de ses chaînes, les liens
> Des vanités terrestres, elle peut errer au large,
> Là, respirer en liberté, se dilater, s'étendre.
> (E. Young 1683-1765)

Cette liberté nouvellement acquise, il s'agit de l'exercer sans limite aucune, il faut, comme Prométhée, pousser la témérité, ou l'insolence, jusqu'à dérober le feu céleste, le feu des étoiles.

> Nous déroberons innocemment le feu céleste
> Et nous allumerons notre dévotion aux étoiles
> Larcin qui ne t'enchaînera pas, mais te fera libre.
> (E. Young)

Ce thème prométhéen se double de celui de l'ascension céleste, un des thèmes majeurs de tous les rituels et mythes religieux. C'est en quelque sorte l'antithèse de la chute, celle d'Icare, de Lucifer ou d'Adam. La conquête du ciel, du mythe d'Icare aux cosmonautes, témoigne de la persistance du thème de l'ascension.

«Il m'est arrivé parfois de m'élever tout droit dans le ciel étoilé, saluant de mes chants l'édifice de l'Univers», rêve le poète romantique allemand (1763-1825) Richter qui ajoute que «ce qu'il y a d'idéal dans la poésie n'est autre chose que la représentation de l'infini». Habitué aux voyages cosmiques, rien ne le retient dans son ascension vertigineuse :

> Une aube nouvelle s'approchait rapidement, rapidement une voie lactée, rapidement toute une voûte de lumineuses d'étoiles. Nous traversions maintenant, comme un siècle nouveau, la nouvelle sphère étoilée (Richter)

On remarque que, pour nombre de poètes, la «sphère étoilée» est un lieu privilégié où s'affirme leur véritable nature, où leurs émotions peuvent se donner libre cours. Mais cette ivresse de l'infini n'exclut pas toujours l'angoisse, le vertige.

> «Quand je me réveillai, je ne vis rien que le bassin du ciel nocturne, car j'étais allongé sur une crête, les bras en croix et face à ce vivier d'étoiles. Je fus pris de vertige, faute d'une racine à quoi me tenir». (Saint-Exupéry)

> Voir d'instant en instant plus claires
> Les constellations.
> Etre précipité défaillant, égaré,
> Anéanti sans plus de poids, ne rien sentir.
> Sombrer d'un millénaire à chaque instant,
> Ne pas trouver de fond, ni de repos.
> (Pascoli 1855-1912)

Peut-être le poète est-il un voyageur de l'espace car il doit se créer un espace pour lui-même où il sera libre de sentir, d'exprimer son expérience propre. Un espace dégagé du réel et de ses contraintes matérielles. Voilà sans doute pourquoi les poètes contemplent si souvent le ciel étoilé, comme s'il s'y cachait le monde dont ils rêvent, comme si chaque étoile était le miroir de leur monde intérieur.

Pascoli, déjà cité plus haut, compare le poète à un «petit enfant éternel qui voit tout avec émerveillement, comme la première fois». Ce sentiment d'émerveillement, voilà bien ce que nous ressentons en premier lieu lorsque, par une calme soirée, nous nous laissons subjuguer par les astres de la nuit.

> Quel bras peut vous suspendre, innombrables étoiles,
> Nuit brillante, dis-nous, qui t'a donné des voiles?
> (Racine)

> Au ras des flots frissonne et tremble
> Une petite étoile éblouie.
> Elle luit seulette, isolée, perdue
> Au plus profond d'un gouffre éteint.
> Hors de l'immense obscurité jaillit
> Sans se tarir, son rayon vacillant.
> Il arrive épuisé du long voyage.
> (A. Graf)

> Je me réveille — je me lève et regarde les étoiles
> et alors j'absorbe l'immortalité et la paix.
> (W. Witman)

> Cette obscure clarté qui tombe des étoiles
> (Corneille)

> Il y a quelque chose de moi dans l'étoile que je ne verrai jamais, il y a quelque chose d'elle au plus profond de moi. (A. de Musset)

Et comment ne pas citer in extenso «L'étoile du soir» d'Alfred de Musset, poème où, avec une rare émotion, il nous confie son amour pour cette «mélancolique amie»?

> Pâle étoile du soir, messagère lointaine,
> Dont le front sort brillant des voiles du couchant,
> De ton palais d'azur au sein du firmament,
> Que regardes-tu dans la plaine?

> La tempête s'éloigne et les vents sont calmés,
> La forêt qui frémit pleure sur la bruyère;
> La phalène dorée en sa course légère,
> Traverse les prés embaumés.

Que cherches-tu sur la terre endormie?
Mais déjà vers les monts, je te vois t'abaisser;
Tu fuis, en souriant, mélancolique amie,
Et ton tremblant regard est près de s'effacer!

Etoile qui descends vers la verte colline,
Triste larme d'argent du manteau de la Nuit,
Toi que regarde au loin le pâtre qui chemine,
Tandis que pas à pas, son long troupeau le suit.

Etoile, où t'en vas-tu dans cette nuit immense?
Cherches-tu sur la rive un lit dans les roseaux?
Où t'en vas-tu si belle, à l'heure du silence,
Tomber comme une perle au sein profond des eaux?

Ah! Si tu dois mourir, bel astre, et si ta tête
Va dans la verte mer plonger ses blonds cheveux,
Avant de nous quitter, un seul instant, arrête,
Etoile de l'amour, ne descends pas des cieux!

Nous avons déjà remarqué avec quelle facilité l'homme est capable de projeter ses sentiments, ses émotions sur des êtres ou des objets lointains. Ce qui reste inconnu, ou hors de portée de sa compréhension, l'homme essaiera confusément de se l'approprier en prêtant à cet inconnu un semblant de nature humaine. De cette façon, les étoiles elles-mêmes, perdues dans un inaccessible lointain, ne sont pas aussi incompréhensibles qu'on le dit puisqu'elles sont capables de frissonner, de trembler.

Le regard de l'astronome
Emeut au fond de la nuit
Sous le feuillage des mondes
Une étoile dans son nid,
Une étoile découverte
Dont on voit passer la tête
Au bout de ce long regard
Ephémère d'un mortel
Et qui se met à chanter
La chanson des noirs espaces

Qui dévorent les lumières
Dans le gouffre solennel.
(J. Supervielle 1925)

Il est naturel que devant ces «noirs espaces qui dévorent les lumières» l'homme ressente une certaine angoisse. Et si les étoiles étaient des yeux braqués sur nous? Ce thème, déjà présent dans la mythologie, sera repris par les poètes.

Nous sommes prisonniers; les ténèbres nous gardent,
Tous les yeux de l'abîme à la fois nous regardent;
Comment fuir? on nous voit!
(Victor Hugo)

Victor Hugo décrit aussi un ciel «plein de têtes grinçant à jamais dans la nuit» et où les étoiles «sont des masques humains qui roulent».

L'imagination de ce grand visionnaire a d'ailleurs trouvé dans le cosmos et les étoiles en particulier une source d'inspiration inépuisable. Les constellations sont pour lui des «lions de flamme, des ourses de feu, des scorpions d'escarboucles, des hydres qui ont le soleil sur leurs croupes». Le ciel est une vaste arène où se livrent de terribles combats entre des monstres constellés; on y trouve une «ménagerie éblouissante de soleils formidables».

«Dans cette arène inouïe», on pourrait entendre «Les bêtes des étoiles»

«Et hurler et rugir le taureau, monstre ailé,
L'effrayant capricorne aux nuages mêlé;
Le lion flamboyant, tout semé d'yeux funèbres,
Le scorpion tenant de ses pattes le soir.»

Mais ces animaux cosmiques doivent se méfier du Sagittaire, le chasseur dont les flèches mortelles sont des étoiles filantes.

«... se ruant sur tous, le sagittaire noir,

Ce chasseur au carquois rempli de météores,
Dont par moments on voit...
Les flèches d'astres luire et tomber dans la nuit!»

Et plus loin, Victor Hugo imagine

«Le Taureau, le Bélier et le Lion fuyant
Devant ce monstrueux chasseur, le Sagittaire.»

La Grande Ourse est une figure privilégiée chez Hugo.

«les sept chevaux d'or du grand chariot bleu
rentrent à l'écurie et descendent au Pôle»

Il y voit aussi «l'invisible cocher des sept astres du pôle», image à rapprocher de celle des Romains qui voyaient dans la Grande Ourse un troupeau de sept bœufs tournant autour du Pôle. Pour les Arabes, c'était un cercueil précédé de trois pleureuses, tandis qu'en Grèce c'était la nymphe Callisto, aimée de Zeus et transformée en Ourse par Héra, l'épouse jalouse de Zeus.

Avant de quitter la Grande Ourse, voici encore ce poème de S. Prudhomme :

La Grande Ourse, archipel de l'océan sans bords,
Scintillant bien avant qu'elle ne fût regardée,
Bien avant qu'il errât des pâtres en Chaldée,
Et que l'âme anxieuse eût habité les corps;

D'innombrables vivants contemplent depuis lors
Sa lointaine lueur aveuglément dardée;
Indifférente aux yeux qui l'auraient observée
La grande Ourse luira sur le dernier des morts.

Tu n'as pas l'air chrétien, le croyant s'en étonne,
O figure fatale, exacte et monotone,
Pareille à sept clous d'or plantés dans un drap noir,

Ta précise lenteur et ta froide lumière
Déconcertent la foi : c'est toi qui la première
M'a fait examiner mes prières du soir.

On le voit, ces objets bien réels que sont les étoiles sont soumis à une imagination sans borne, au point de se transformer en objets imaginaires. Comme si les étoiles étaient un tremplin tout désigné vers un autre monde, celui du rêve. Comme si les étoiles, de par leurs distances inaccessibles, posaient un défi permanent à l'homme et suscitaient en lui amour, crainte ou passion scientifique.

Ce va-et-vient entre imaginaire et réel, cet échange constant entre deux mondes apparemment étrangers n'est pas qu'un simple jeu de rêveurs impénitents. Il est présent tout au long de l'histoire humaine et est à la base de toutes les découvertes. Découvrir, c'est inventer, c'est se libérer de certains schémas de pensée pour donner une autre interprétation de la réalité. C'est regarder avec d'autres yeux.

Les différentes conceptions que l'homme s'est faites des étoiles et du cosmos reflètent bien le caractère ambigu de sa perception de l'univers. L'histoire de l'astronomie nous enseigne qu'elle fut longtemps dominée par des considérations philosophiques ou religieuses. Mais la révolution astronomique qui débuta à la Renaissance allait bouleverser quantité d'idées reçues et semer de nouveaux germes dans le champ de l'imaginaire.

En 1572, l'observation d'une étoile nouvelle par Tycho Brahe provoquait un choc dans les mentalités. Jusque là, on avait cru le ciel toujours pareil à lui-même, baignant dans l'éternité. Rien n'y pouvait apparaître ou disparaître, puisque tout y est éternel. La découverte d'une nouvelle étoile exclut l'éternité du ciel et lui substitue la notion de vie cosmique, de dynamique.

> Et toutefois on dit
> Que rien n'y croît, n'y change ou diminue...
> Et d'où vient donc ce feu prodigieux?
> Si les dieux sont d'une essence éternelle
> S'y peut-il faire une étoile nouvelle?
> (John Donne 1573-1631)

En 1604, l'apparition d'une autre nova confirme la chose.

> Quand le ciel nous regarde avec des yeux nou-

veaux...
... Et dans ces constellations se lèvent alors
De nouvelles étoiles ; et d'anciennes s'éteignent
Comme si le ciel souffrait de secousses, de guerres
et de paix.
(John Donne)

L'homme perd la sécurité, la garantie d'avoir sous les yeux un monde immuablement parfait. Fini le refuge rassurant d'un cosmos figé dans l'éternité, en dehors de toute évolution, de tout changement. Désormais, le ciel n'est plus seulement le royaume des dieux, il est aussi le siège de phénomènes vitaux, physiques. On lui attribue les qualités d'êtres vivants, composés d'esprit mais aussi de chair.

« Je serais un immense Gargantua d'étoiles, un colossal Polyphème de constellations, de tourbillons et de tonnerres ; je boirais la jatte du lait de la Voie lactée ; j'avalerais les comètes... et je courrais dans l'espace ivre de sphères, les mains pleines de grappes d'astres et le visage pourpre de soleils ! » (V. Hugo)

« Notre univers sidéral doit former un grand corps, un immense organisme dont les soleils et les mondes sont les molécules... L'univers est un être vivant ». (C. Flammarion)

Les étoiles acquièrent la fragilité des fleurs.

« D'autres, comme des fleurs que son souffle caresse
Lèvent un front riant de grâce et de jeunesse. »
(Lamartine)

« Viens, nous irons nous abattre dans les prairies étoilées, au-delà d'Orion, où en guise de violettes et de pensées sauvages, nous trouverons des couches de soleils tricolores. » (E. Poe)

Pour Hugo, la création est « un éternel avril » et les constellations sont des « grappes d'astres qui pendent à la treille immense des nuits.»

En 1687, Newton publie son œuvre maîtresse, les Philosophiae naturalis principia mathematica, dans laquelle il expose sa théorie de l'attraction universelle. Cette théorie rejoignait une vieille croyance instinctive de l'homme selon laquelle ce qui se ressemble s'assemble, et deux êtres semblables s'attirent comme deux désirs qui coïncident. L'attraction universelle ne serait qu'une autre version de l'Amour universel.

> Ces satellites animés, ces étoiles du matin,
> Premiers-nés de la divinité ! De l'Amour central,
> Par une vénération profonde, tenus à distance ;
> Par une douce attraction, non moins fortement entraînés,
> Craintifs, mais extasiés ; extasiés mais sereins...
> (Young 1710)

> L'Amour meut le firmament. Un amour réciproque maintient et perpétue les lois éternelles qui régissent les astres. (Boèce)

> Tous ces astres se meuvent sous l'empire de l'éternel amour. La main qui les suspend dans l'espace n'a écrit qu'un mot en lettres de feu. Ils vivent parce qu'ils se cherchent et les soleils tomberaient en poussière si l'un d'entre eux cessait d'aimer. (Musset)

Au 19e siècle encore, l'astronome et poète Flammarion reprend cette idée dans un écrit romanesque, les Terres du Ciel : «La douce mais irrésistible loi d'Attraction les enlace de ses chaînes magnétiques... Le cours de l'Univers est irrésistiblement mené par l'universel Amour.» Il parle aussi des comètes «emportées par l'ardeur dévorante d'un insondable amour».

Victor Hugo, toujours lui, pense que «les globes s'aimeront comme l'homme et la femme» et il voit des étoiles qui «se jettent à la nage dans le firmament et ramènent du fond de la nuit des étoiles pâles et échevelées. O bons astres qui s'attellent aux astres égarés!

Soleils formidables qui, par amour, se font les caniches et les terre-neuve de l'immensité !

On peut parier que Newton était loin de se douter du succès remporté par sa théorie de l'attraction universelle auprès des gens de lettre !

Avant de quitter le monde de la poésie, citons encore pêle-mêle quelques extraits de poèmes

> Vous me mettrez en terre
> Comme une étoile au fond d'un trou
> (Aragon, Les poètes)
>
> Comme tu me plairais, ô nuit ! sans ces étoiles
> Dont la lumière parle un langage connu !
> Car je cherche le vide, et le noir, et le nu !
> (Baudelaire, Obsession)
>
> L'étoile : sur l'étoile je n'ai rien à dire
> c'est un son aigre comme un fruit
> c'est un murmure qu'on poursuit.
> (R. Queneau)
>
> Si vous avez jamais passé la nuit à la belle étoile, vous savez qu'à l'heure où nous dormons, un monde mystérieux s'éveille dans la solitude et le silence... Le jour, c'est la vie des êtres, mais la nuit, c'est la vie des choses. (A. Daudet, les étoiles)
>
> Mais l'étoile se dit : « Je tremble au bout d'un fil, Si nul ne pense à moi, je cesse d'exister ». (J. Supervielle)
>
> Les morts vous disent : « Cueillez les fleurs qui, elles aussi passent ; admirez les étoiles qui ne passent jamais ». (Carducci, Nouvelles Odes Barbares)
>
> Les bonnes étoiles sont moins nombreuses que les mauvaises, et celui qui n'a que sa bonne étoile pour se garer des autobus fait aussi bien de ne pas traverser la rue. (Mc Orlan)

En conclusion

Cette excursion dans le monde poétique nous amène naturellement au langage quotidien, à la vie de tous les jours. Ici aussi, les étoiles apparaissent souvent, comme si en les incorporant dans sa langue, l'homme s'accaparait une partie du ciel. Elles seraient en quelque sorte les traits d'union entre le ciel et la terre.

Nous avons vu comment cette fascination pour les étoiles se manifestait dans la mythologie et dans la littérature. De multiples expressions du langage courant traduisent cette fascination.

«Etre né sous une bonne étoile, sous une mauvaise étoile», trahit le pouvoir bénéfique ou maléfique que les hommes projettent sur les étoiles. Dans le même ordre d'idée, avoir confiance en son destin se dit «être confiant en son étoile». Autant d'expressions courantes indubitablement liées à l'astrologie et à son affirmation de l'influence astrale sur la destinée humaine. L'étoile est assimilée à la chance, et celle-ci vient-elle à manquer, on dira de quelqu'un que «son étoile commence à pâlir». Ce qui arrive aux plus puissants puisque «la campagne de Russie fit pâlir l'étoile de Napoléon». Inversément, on dira que «son étoile monte».

Faut-il rappeler d'autres expressions aussi banales que «dormir à la belle étoile», «voir trente-six étoiles», ou encore une maxime comme «connais ton étoile, sonde ta Minerve»? Le bon sens populaire nous apprend même «qu'on ne peut marcher en regardant les étoiles quand on a une pierre dans son soulier».

Il n'est pas que le langage pour introduire les étoiles dans notre quotidien. Ainsi figurent-elles sur de nombreux drapeaux. Celui des Etats-Unis en compte cinquante, une pour chaque Etat; de là son appellation de bannière étoilée. Et quel restaurant, quel hôtel n'arborera avec fierté les quelques étoiles qui auront une influence directe sur la note que vous paierez? L'influence des étoiles est également déterminante dans le cas des militaires. Tel n'est pas leur amour pour ces astres qu'ils en parsèment leurs uniformes.

On pourrait encore évoquer l'univers de la science-fiction avec son cortège de voyages interstellaires, de «guerre des étoiles», d'extra-terrestres malicieux. Alors qu'il y a moins de quatre siècles, l'Inquisition condamnait au bûcher Giordano Bruno qui avait osé imaginer une pluralité de mondes habitables dans l'Univers.

Des mythologies antiques à la science-fiction moderne, la présence des étoiles dans l'imaginaire est constante. Mais à son tour, l'astronomie moderne s'est emparée des étoiles pour nous révéler leurs secrets, pour nous éclairer la nuit des temps, rejoignant ainsi un mythe amplement véhiculé par la littérature, celui de l'exploration du temps, du voyage dans le temps. En observant une étoile située à un million d'années lumières, l'astronome ne réalise-t-il pas un prodigieux voyage dans le temps puisqu'il voit une partie de l'univers tel qu'il était avant même que l'homme n'apparaisse? Peut-être d'ailleurs cette étoile n'existe plus depuis longtemps. Nous voyons alors combien la frontière entre la science et l'imaginaire est bien moins définie qu'on ne le croit souvent. La nostalgie des origines, le retour aux premières lueurs de la vie ont suscité chez l'homme une contemplation naïve du ciel aussi bien qu'une recherche plus systématique débouchant sur des théories cosmologiques comme celle du Big Bang. Ils n'étaient pas si fous ces Indiens qui considéraient les étoiles comme de lointains ancêtres, témoins de la naissance du monde.

Bibliographie

Akker A. *Initiation à l'astronomie.* Masson. Paris. 1979.
Asimov I. *Trous noirs.* Ed. l'Etincelle. Québec. 1978.
Charon J. *La conception de l'Univers depuis 25 siècles.* L'Univers des Connaissances. Hachette. 1970.
Collectif. *L'Univers.* Encyclopédie Larousse. 1978.
Collectif. *L'astronomie.* Encyclopédie de la Pléiade. Gallimard. 1962.
Couderc P. *Histoire de l'astronomie.* P.U.F. Que sais-je? 1974.
Flammarion C. *Astronomie populaire.* Flammarion. 1880. Nouvelle édition 1975.
Heidman J. *Au-delà de notre Voie lactée.* Hachette. 1979.
Hoyle F. *Aux frontières de l'astronomie.* Buchet Castel. 1956.
Jastrow R. *Des astres, de la vie et des hommes.* Seuil. 1975.
Klepesta J. et Rükl A. *Constellations. Atlas illustré.* Grund. 1975.
Koestler A. *Les somnambules.* Calmann-Levy. 1960.
Lequeux J. *Physique et évolution des galaxies.* Dunod. 1968.
Menzel D. *Guide des étoiles et planètes.* Delachaux et Niestlé. Paris. 1971.
Moore P. *Eléments d'astronomie.* Dunod. 1970.
Nicholson I. *L'astronomie.* Poche Couleurs. Larousse 1970.
Omnès R. *L'univers et ses métamorphoses.* Hermann. 1973.
Page T. *Etoiles et galaxies.* Marabout Université. 1966.
Pecker J.C. *Clefs pour l'astronomie.* Seghers. 1981.
Reeves H. *Patience dans l'azur.* Seuil. 1981.
Roth G.D. *Etoiles et planètes.* Elsevier. 1976.
Rousseau P. *L'Astronomie.* Librairie Générale de France. 1959. Le monde des étoiles. Hachette. 1965.
Sagan C. *Cosmic Connection.* Seuil. 1975.
Schatzman E. *Structure de l'Univers.* Hachette. 1968.

Lexique

Aberration chromatique : défaut d'un système optique qui réfracte inégalement les différentes couleurs de la lumière blanche, les amenant au foyer en des points légèrement différents. La lunette achromatique réduit fortement cette aberration.

Alcyone : principale étoile de l'amas ouvert des Pléiades, dans la constellation du Taureau.

Aldébaran : étoile alpha de la constellation du Taureau. C'est une géante rouge de première magnitude, distante de 50 années-lumière.

Algol : étoile bêta de Persée. C'est la première variable à éclipses qu'on a découverte. Toutes les 69 heures, son éclat passe de la deuxième à la quatrième magnitude.

Altaïr : étoile alpha de la constellation de l'Aigle. C'est une étoile blanche de première magnitude.

Amas : groupe d'étoiles liées physiquement par la gravitation. On distingue les amas ouverts (quelques milliers d'étoiles) des amas globulaires (quelques centaines de milliers). On parle aussi d'amas de galaxies.

Absorption (spectre d') : ensemble des raies sombres d'un spectre lumineux. Elles sont dues à la présence d'un gaz entre la source lumineuse et le récepteur, et sont situées exactement sur les mêmes longueurs d'onde que les raies d'émission du même gaz.

Analyse spectrale : analyse de la lumière décomposée en ses différentes longueurs d'onde (ou couleurs) à travers un prisme. Elle permet de déduire la composition chimique d'un corps et certains de ses caractères physiques.

Andromède : constellation de l'hémisphère boréal. On y trouve la galaxie spirale du même nom, membre du Groupe local.

Année-lumière : distance parcourue par la lumière en un an, à la vitesse de 300 000 km/sec. Elle équivaut à près de dix millions de kilomètres.

Antapex : direction opposée à l'Apex.

Antarès : étoile alpha de la Constellation du Scorpion. C'est une supergéante rouge de première magnitude.

Apex : point de la sphère céleste dans la direction duquel se déplace le soleil et le système solaire par rapport aux étoiles voisines. Ce point se situe dans la constellation d'Hercule, près de Véga. Vitesse du mouvement : 20 km/sec.

Arcturus : étoile alpha du Bouvier. C'est une géante rouge, une des plus brillantes du ciel (magnitude : 0,24).

Aristarque : astronome grec (310-230 av. J.-C.). Il fut le premier sans doute à affirmer que la terre tourne autour du soleil, et non l'inverse.

Ascension droite : coordonnée céleste correspondant à notre longitude. C'est l'angle que fait le cercle horaire d'un astre avec le cercle horaire du point gamma.

Astrophysique : branche de l'astronomie qui étudie plus spécialement les propriétés physiques des astres.

Attraction universelle : loi découverte par Newton et selon laquelle deux corps s'attirent en fonction directe de leurs masses et en raison inverse du carré de leurs distances (voir aussi Gravitation universelle).

Bételgeuse : étoile alpha de la constellation d'Orion. C'est une supergéante rougeâtre, à l'éclat variable (0,2 à 0,9).

Big Bang : terme anglais utilisé par Gamow pour désigner l'explosion qui serait à l'origine de l'expansion de l'univers.

Binaire : paire d'étoiles tournant autour de leur centre de gravité commun sous l'influence de leur attraction mutuelle. Si le télescope permet de les distinguer visuellement, on parle de binaire visuelle, par opposition aux binaires spectroscopiques.

Bouvier : constellation proche de la Grande Ourse. Elle contient Arcturus.

Bras spiraux : parties des galaxies spirales qui se développent à partir du noyau et qui s'ouvrent dans le sens inverse du mouvement de rotation.

Canopus : étoile alpha de la Carène, la plus brillante du ciel après Sirius (magnitude : −0,72).

Capella : étoile alpha du Cocher. C'est une géante binaire jaune, de magnitude −0,6.

Cassegrain : système optique fréquemment utilisé dans les télescopes ; au miroir principal est opposé un miroir secondaire qui renvoie le rayon lumineux à travers un trou percé dans le miroir principal.

Cassiopée : constellation du ciel boréal. Un groupe de cinq étoiles y forme la lettre W. C'est dans Cassiopée que Tycho Brahe observa une super-nova, en 1572.

Castor : étoile alpha de la constellation des Gémeaux, moins brillante que Pollux. C'est une étoile triple, avec une période de révolution de 400 ans.

Centaure : constellation australe qui contient les deux étoiles les plus proches de nous, Proxima et alpha Centauri, situées toutes deux à un peu plus de quatre années-lumière.

Céphéides : famille d'étoiles variables très lumineuses dont le prototype est l'étoile delta de Céphée. La relation « période-luminosité », découverte par Miss Leavitt en 1912, révèle que leur éclat intrinsèque est lié à leur période de variation. En mesurant leurs périodes, on peut donc trouver leurs magnitudes absolues, ce qui permet d'évaluer leur distances.

Cercle horaire : grand cercle de la sphère céleste passant par les pôles célestes et un astre déterminé.

Chien (Grand) : constellation du ciel austral contenant Sirius, l'étoile la plus brillante du firmament. Elle est visible en France en hiver et au début du printemps.

Circumpolaire : on qualifie ainsï les étoiles qui, pour un lieu donné, ne se couchent jamais et sont visibles toute l'année. A l'équateur, aucune étoile n'est circumpolaire, aux pôles elles le sont toutes.

Constante de Hubble : rapport de proportionnalité entre la distance d'une galaxie et sa vitesse apparente de récession.

Constellations : groupements apparents d'étoiles formant une figure et dont beaucoup sont dénommées depuis l'Antiquité. L'Union Astonomique Internationale a fixé leur nombre (88) et leurs limites précises au cours des années vingt de notre siècle.

Coordonnées : système de références permettant de déterminer la position d'un astre. Pour situer une étoile dans le ciel, on utilise surtout les coordonnées équatoriales dont l'ascension droite correspond à notre longitude et la déclinaison à notre latitude.

Copernic : astronome polonais (1473-1543) qui remplaça le système de Ptolémée par celui dans lequel la Terre n'occupe plus le centre de l'univers mais tourne autour du Soleil, comme les autres planètes (héliocentrisme). On peut dire qu'il fut l'initiateur de la révolution scientifique qui s'affirma avec Kepler, Galilée et Newton.

Cosmologie : science qui étudie les lois générales de la structure et de l'évolution de l'univers pris dans son ensemble.

Courbe de lumière : courbe représentant la magnitude d'une étoile en fonction de sa période.

Crabe (nébuleuse du) : nébuleuse planétaire dans la constellation du Taureau. On la considère comme le résidu de la super-nova observée en 1054 par les Chinois.

Culmination : point le plus élevé du passage d'un astre. On dit qu'une étoile culmine quand elle passe au-dessus du méridien local.

Cygne : très belle constellation boréale, proche de la Lyre. Elle forme une grande croix dans une zone particulièrement riche de la Voie Lactée. Elle contient une étoile de première grandeur, Deneb.

Décalage spectral : voir Doppler-Fizeau (effet).

Déclinaison : coordonnée céleste correspondant à notre latitude. C'est l'angle formé par la direction de l'astre et le plan de l'équateur. Elle se mesure de 0 à 90 degrés, positivement vers le nord, négativement vers le sud.

Deneb : étoile alpha de la constellation du Cygne. C'est une super-géante blanche, de magnitude 1,33.

Diagramme H-R (Herzsprung-Russel) : diagramme portant en abscisse les types spectraux des étoiles et en ordonnée leurs magnitudes absolues. La plupart des étoiles se regroupent alors le long d'une bande centrale qu'on appelle la «séquence principale». Ce diagramme permet de distinguer les étoiles naines des géantes et de déduire la magnitude absolue d'une étoile à partir de son type spectral. Obtenu en 1915, il fut complété depuis lors par de nombreux chercheurs et représente une donnée fondamentale de l'astrophysique.

Diurne (mouvement) : mouvement apparent des astres dû en fait à la rotation de la Terre sur elle-même en un jour; tous les astres semblent ainsi tourner autour de l'axe des pôles.

Doppler-Fizeau (effet) : effet établi en 1842 par Doppler pour l'acoustique, étendu par Fizeau au domaine de l'optique. Il se traduit par le déplacement de la longueur d'onde d'une source lumineuse en mouvement rapide par rapport à l'observateur. Quand la source s'éloigne, son spectre sera décalé vers le rouge, quand elle se rapproche, vers le bleu. C'est ce qu'on appelle le décalage spectral.

Doublet : objectif comprenant deux lentilles et permettant de corriger l'aberration chromatique.

Ecliptique : plan formé par la course apparente du soleil en un an (c'est en fait le plan de l'orbite terrestre). Il est incliné de 23°27' sur celui de l'équateur.

Effondrement gravitationnel : phénomène de condensation de la matière qui se situe à la fin de l'évolution d'une étoile. Cette phase cataclysmique transformera l'étoile en naine blanche, étoile à neutrons ou trou noir, selon sa masse initiale.

Emission (spectre d') : spectre de raies brillantes émis par un corps porté à une température élevée. Il permet de définir la composition chimique de ce corps.

Equateur céleste : projection de l'équateur terrestre sur la sphère céleste. C'est le cercle fondamental du système de coordonnées équatoriales.

Equinoxe : point de la sphère céleste à l'intersection de l'écliptique et de l'équateur. L'équinoxe de printemps (ou point vernal) correspond au passage du Soleil de l'hémisphère austral à l'hémisphère boréal. Aux équinoxes, la durée du jour est égale à celle de la nuit.

Expansion de l'univers : théorie cosmologique se basant sur la récession des galaxies. Selon cette théorie, l'espace se dilate avec le temps, accroissant ainsi les dimensions de l'univers.

Explosion primordiale : phénomène à l'origine de l'expansion de l'univers. En anglais, big bang.

Extragalactique : qui n'appartient pas à notre Galaxie, la Voie Lactée. Toutes les galaxies, sauf la nôtre, sont extragalactiques.

Flammarion (Camille) : astronome français (1842-1925), fondateur de la Société astronomique de France (1887) et auteur de remarquables ouvrages de vulgarisation, tel que L'Astronomie populaire, récemment réédité.

Fomalhaut : étoile alpha de la constellation du Poisson austral. C'est une étoile blanche de première grandeur, relativement proche (23 al).

Fraunhofer : opticien allemand (1787-1826), célèbre pour sa découverte des raies sombres dans le spectre solaire, ce qu'on appelle les raies d'absorption.

Galaxie : ensemble de milliards d'étoiles formant un système physique. Notre Galaxie, la Voie lactée, s'écrit avec une majuscule, contrairement aux autres galaxies qui se comptent par milliards. Il en existe plusieurs sortes : spirales, elliptiques, irrégulières...

Galilée (1564-1642) : physicien et astronome italien, un des initiateurs de la science moderne. Après ses expériences sur la chute des corps, il observe le ciel à la lunette et y découvre les satellites de Jupiter, les taches du Soleil, les phases de Vénus, etc. Ardent défenseur du système copernicien, il fut condamné par l'Eglise et contraint à l'abjuration en 1633.

Géantes : dans le diagramme H-R, les géantes sont un groupe d'étoiles de grande dimension mais de faible densité.

Gémeaux : troisième constellation du zodiaque, elle contient les étoiles Castor et Pollux. En France, elle est visible en hiver et au printemps; on y décèle de nombreuses étoiles variables.

Gravitation universelle : autre dénomination de l'attraction universelle, découverte par Newton. La pesanteur constatée sur la Terre y est identifiée avec la force qui entraîne les planètes autour du Soleil.

Groupe local : amas de galaxies comprenant notre Galaxie, celle d'Andromède et les Nuages de Magellan. Au total, il compte une vingtaine de membres.

Héliocentrique : qualifie un système dont le centre est le soleil. On l'oppose à géocentrique, où le centre est la Terre.

Hélium : gaz très léger qu'on a d'abord identifié à la surface du Soleil. Il est le constituant le plus répandu dans l'univers après l'hydrogène.

Hercule : constellation située entre la Couronne Boréale et la Lyre. Contient le fameux amas globulaire M 13.

Herschel (1738-1822) : fabriquant ses propres télescopes, cet astronome entreprit l'observation systématique des étoiles doubles et fut le premier à suggérer la forme de notre Galaxie.

Hubble (1889-1953) : astronome américain responsable de la classification des galaxies d'après leurs formes. Il établit en outre une loi (loi de Hubble) mettant en rapport le décalage spectral d'une galaxie et sa distance : plus une galaxie est lointaine, plus sa vitesse de récession est grande.

Hyades : amas ouvert dans le Taureau, près d'Aldébaran. Perceptible à l'œil nu, c'est l'amas le plus proche de nous (120 al)

Infrarouge : zone du spectre qui s'étend au-delà de la partie visible, du côté du rouge. Arrêté en grande partie par l'atmosphère, l'infrarouge s'étudie en haute montagne ou avec des moyens spatiaux.

Intergalactique : qui se situe entre les galaxies; ex. : la poussière intergalactique.

Interstellaire : qui se situe entre les étoiles. On parle souvent du vide interstellaire alors qu'on y trouve de la matière sous forme d'atomes et de molécules isolés, surtout d'hydrogène.

Ionosphère : zone de la haute atmosphère terrestre, au-dessus de soixante kilomètres. Les gaz y sont ionisés par le rayonnement solaire et cosmique.

Kepler (1571-1630) : un des fondateurs de l'astronomie moderne. Utilisant les observations très précises de T. Brahé, il énonça les « lois de Kepler » décrivant les mouvements des planètes. La loi de l'attraction universelle découverte plus tard par Newton est le prolongement direct des lois de Kepler.

Lion : cinquième constellation zodiacale. Elle contient l'étoile alpha Regulus de magnitude 1,3. C'est une région très riche en galaxies.

Lunette : instrument d'optique où la formation de l'image est due à une lentille simple ou multiple et non à un miroir, comme dans le télescope. Dans les textes scientifiques, on préfère employer le terme de réfracteur (et de réflecteur pour un télescope).

Lyre : petite constellation visible en été (pour la France). Véga est l'étoile la plus brillante du ciel boréal avec Arcturus. RR Lyre est le prototype de la famille des étoiles variables dites « variables d'amas ».

Magnitude : grandeur qui définit une étoile d'après son éclat apparent (magnitude visuelle), absolu (magnitude absolue) ou son effet sur une plaque photographique (magnitude photographique). Les étoiles les plus brillantes sont de magnitude négative ; plus sa valeur augmente, moins l'étoile est lumineuse.

Magnitude absolue : éclat qu'aurait une étoile si on la plaçait à une distance de 10 parsecs.

Méridien céleste : grand cercle passant par les pôles célestes. Le méridien de référence est celui de Greenwich à partir duquel on compte les longitudes. Le méridien local est celui sur lequel les astres atteignent leur hauteur maximale (minimale s'ils sont circumpolaires).

Messier (1730-1817) : astronome français qui publia un catalogue d'objets célestes, le catalogue Messier. On désigne encore ces objets par la lettre M suivie du numéro du catalogue. Ex. M 31 pour la galaxie d'Andromède.

Mira Ceti : la « Merveilleuse de la Baleine ». Etoile variable ayant une période moyenne de 331 jours. C'est le prototype des variables à longue période.

Mizar : étoile zèta de la Grande Ourse. C'est la première binaire spectroscopique qu'on ait découverte. Son compagnon est Alcor.

Mouvement propre: légers déplacements des étoiles sur la sphère céleste. A la longue, ils affectent la figure des constellations.

Naines : les étoiles naines constituent la série principale du diagramme H-R. Le Soleil est une naine typique.

Naine blanche : étoile blanche, petite et très dense. Elle représente le stade final de l'évolution d'une étoile de faible masse, et résulte d'un effondrement gravitationnel, suite au manque de carburant nucléaire.

Nébuleuse planétaire : nébuleuse brillante ayant l'aspect d'une vaste enveloppe gazeuse entourant une étoile très chaude. Résulte parfois de l'explosion d'une nova ou d'une supernova (nébuleuse du Crabe).

Nébuleuse obscure : nuage sombre de matière interstellaire qui absorbe le rayonnement lumineux des astres qu'il cache.

Newton (1642-1727) : physicien et astronome anglais. Sa découverte de la gravitation universelle allait être d'une importance fondamentale dans le développement de la science moderne. Il mit au point le télescope à réflexion.

NGC : New General Catalogue, publié par Dreyer en 1888. Il recense les nébuleuses et amas connus à l'époque. Les 13 226 objets contenus dans ce catalogue sont désignés par les lettres NGC suivis de leur numéro d'ordre.

Nuages de Magellan : situés dans le ciel austral, le Grand et le Petit Nuages de Magellan sont deux satellites de notre Galaxie, appartenant au Groupe local. Ils sont visibles à l'œil nu.

Nova : étoile dont l'éclat augmente brusquement de plusieurs magnitudes avant de retourner à son éclat initial, au point de disparaître de la vue. Ce phénomène s'accompagne d'une explosion qui éjecte la matière des couches extérieures.

Orbite : trajectoire décrite par un astre autour d'un autre. Dans le cas des étoiles doubles, chaque composante décrit une orbite elliptique relativement à l'autre composante.

Orion : constellation d'hiver (pour la France) aisément identifiable. On y trouve des étoiles remarquables telles que Bételgeuse, Rigel et, au centre, les Trois Rois ou le Baudrier. Sous celui-ci, on trouve la célèbre nébuleuse d'Orion, visible à l'œil nu.

Parallaxe : déplacement angulaire de la position apparente d'un corps céleste quand il est observé de deux points très distants. On l'exprime en secondes d'arc. La parallaxe annuelle d'une étoile est l'angle sous lequel on voit, de cette étoile, le demi grand axe de l'orbite de la Terre autour du Soleil.

Parallèles célestes : cercles parallèles à l'équateur qu'on appelle cercles de déclinaison.

Parsec : unité de distance astronomique, correspondant à 3,26 années-lumière ou encore à 30,8 millions de kilomètres. C'est la distance d'un astre dont la parallaxe serait de une seconde. Abréviation : pc.

Pégase : grande constellation de l'hémisphère nord. Elle se reconnaît par un grand carré d'étoiles comprenant une intruse, alpha d'Andromède.

Périastre : point d'une orbite où la distance entre les deux astres est la plus petite.

Période-luminosité (relation) : relation montrant comment la période des variations d'éclat des variables céphéides dépend de leur luminosité; plus la période est longue, plus grande est la luminosité. Cette relation fut découverte par Miss Leavitt en 1912.

Persée : jolie constellation de la Voie lactée, entre Andromède et Cassiopée. Elle contient de nombreuses variables, dont la fameuse Algol. Deux amas ouverts y sont parfois visibles à l'œil nu.

Pléiades : célèbre amas ouvert visible à l'œil nu (on y discerne sept étoiles). On l'appelle aussi la Poule et ses Poussins.

Point vernal : intersection de l'écliptique et de l'équateur. On l'appelle aussi point gamma. Quand le Soleil, venant du sud, passe par ce point, c'est l'équinoxe de printemps. Sur l'équateur, il sert de point de référence pour mesurer les ascensions droites.

Polaire : étoile alpha de la Petite Ourse, indiquant actuellement la direction du nord. C'est une étoile variable, supergéante, de même qu'une binaire spectroscopique. Sa lumière met quelque trois cents ans pour nous parvenir.

Pollux : étoile bêta des Gémeaux. Elle est en fait plus brillante que l'étoile alpha, Castor.

Populations stellaires : introduite en 1944 par Baade, cette classification divise les étoiles en deux populations, selon leur âge, leur teneur en métal et leur distribution spatiale. Dans la population I, les étoiles sont jeunes, riches en métal et se situent surtout dans les bras galactiques. Dans la population II, elles sont plus vieilles, pauvres en métal et se situent principalement dans les noyaux galactiques.

Précession des équinoxes : mouvement semblable à celui d'une toupie qui entraîne un lent changement périodique dans la direction de l'axe de rotation terrestre. C'est ainsi que, chaque année, le point gamma rétrograde de 50″ sur l'équateur.

Procyon : étoile alpha de la constellation du Petit Chien. C'est une binaire visuelle très proche (onze al).

Protoétoile : étoile en cours de formation.

Proxima Centauri : située à 4,3 années-lumière, c'est l'étoile la plus proche après le Soleil. C'est une naine rouge, de faible magnitude.

Pulsar : type d'astre dont la découverte remonte à 1968. C'est une étoile à neutrons où la matière se trouve hypercondensée. Elle tourne sur elle-même à très grande vitesse, émettant son rayonnement radio avec une extrême régularité, à la façon d'un phare.

Quasar : de l'expression anglaise «Quasi Stellar Astronomical RadioSources». Ce sont des radiosources de petite dimension mais émettant autant d'énergie que des centaines de galaxies. Cette énergie prodigieuse prête à des interprétations multiples. Le décalage spectral très prononcé des quasars laisse supposer qu'ils sont les objets les plus éloignés que l'on connaisse.

Radioastronomie : branche de l'astronomie qui étudie les astres non pas à partir de leur rayonnement lumineux mais à partir de leur rayonnement radioélectrique.

Radiogalaxie : galaxie se caractérisant par une émission radioélectrique intense.

Radiotélescope : instrument formé par un grand miroir parabolique de grillage métallique qui capte les ondes radioélectriques venues du ciel et les amène au foyer, en gros de la même façon qu'un télescope ordinaire recueille la lumière.

Rayonnement cosmologique : rayonnement isotrope (issu de toutes les directions du ciel) de trois degrés absolus (−270° C) qui serait un résidu du rayonnement thermique primitif. Il se serait refroidi au cours de l'expansion de l'univers. Il représenterait une preuve manifeste de la validité de la théorie du Big Bang.

Récession des galaxies : le décalage vers le rouge du spectre des galaxies conduit à admettre qu'elles s'éloignent contamment, et ce à des vitesses proportionnelles à leurs distances. L'univers serait donc bel et bien en expansion.

Réflecteur : terme spécifique désignant les instruments d'optique où la lumière est récoltée par un miroir (télescope).

Réfracteur : instrument optique où la lumière est recueillie par une lentille (lunette).

Regulus : étoile alpha de la constellation du Lion. C'est une étoile blanche, de magnitude 1,34.

Rigel : étoile bêta d'Orion, une des plus brillantes du ciel. C'est une supergéante blanche, 50 000 fois plus lumineuse que le Soleil. Elle est distante de 700 al.

Rotation : mouvement d'un astre sur lui-même autour de son axe central.

Rotation différentielle : rotation d'un astre dont toutes les parties ne tournent pas d'un seul bloc, comme un corps solide. Ainsi pour une galaxie, la rotation des régions centrales est plus rapide que celle des régions périphériques.

RR Lyrae : étoile variable, prototype des «variables d'amas». On les trouve en grand nombre dans les amas globulaires, dont elles servent à mesurer les distances.

Scorpion : huitième constellation du zodiaque dont les étoiles dessinent relativement bien l'objet désigné. Elle contient une supergéante rouge, Antarès, de nombreux amas, étoiles doubles et nébuleuses.

Séquence principale : dans le diagramme H-R, définit la série d'étoiles la plus nombreuse, celle des naines. Le Soleil en fait partie.

Sirius : étoile alpha de la constellation du Grand Chien. C'est l'étoile la plus brillante du ciel (magnitude – 1,6).

Son compagnon, Sirius B, orbite autour d'elle en 50 ans; c'est la première naine blanche qu'on a découverte.

Spectre : décomposition de la lumière à travers un prisme ou un réseau en fonction de la longueur d'onde.

Spectrographe : appareil dispersant la lumière et dont le récepteur est une plaque photographique.

Supergéante : étoile de très grande dimension. Ainsi le diamètre de Bételgeuse vaut 400 fois celui de notre Soleil.

Supernova : étoile massive qui explose de façon cataclysmique avec une augmentation subite de sa luminosité, la quasi-totalité de sa masse étant éjectée dans l'espace.

Taureau : seconde constellation du zodiaque, proche d'Orion. Célèbre pour ses deux amas ouverts : les Hyades et les Pleiades.

Temps sidéral : angle horaire de l'équinoxe vernal; c'est le nombre d'heures, de minutes et de secondes qui se sont écoulées depuis que l'équinoxe vernal était au méridien.

Temps universel (UT) : temps solaire moyen du méridien de Greenwich, auquel on a jouté 12 heures.

Trou noir : étoile massive qui, à cours d'énergie, entre dans le processus «d'effondrement gravitationnel». La masse s'y concentre à un point tel que même la lumière ne peut s'en échapper. Inobservable, on ne peut détecter sa présence que par ses effets gravitationnels : la matière environnante est aspirée et s'engouffre dans le trou noir.

Turbulence : agitation atmosphérique qui altère la qualité des images reçues.

Type spectral : échelle de classification des étoiles selon l'aspect de leur spectre et leur température.

ua : unité astronomique. Unité de longueur dont la base est le demi-grand axe de l'orbite terrestre, soit 149.600.000 km.

U.A.I. : Union astronomique internationale, dont la première assemblée se déroula en 1922. Son objectif est de coordonner les recherches astronomiques dans le monde entier.

Ultraviolet : zone du spectre électromagnétique qui s'étend au-delà de la partie visible, du côté du violet. Arrêté en grande partie par l'atmosphère, il est étudié dans l'espace grâce aux moyens spatiaux.

Variable : étoiles instables soumises à des fluctuations d'éclat. Certaines fluctuent régulièrement, d'autres sont erratiques et imprévisibles.

Véga : très belle étoile de la constellation de la Lyre. C'est une étoile blanche, de magnitude 0,14.

Vierge : grande constellation zodiacale qui s'étend sur l'équateur. On y trouve l'étoile alpha Spica (l'Epi), de magnitude 1,21, ainsi que de nombreuses galaxies, dont l'amas Virgo.

Voie Lactée : appellation de notre Galaxie. C'est la bande nébuleuse se développant tout autour du ciel et sous laquelle apparaît notre Galaxie vue de la Terre.

Wolf-Rayet (étoiles de) : petit groupe d'étoiles très chaudes et lumineuses entourées d'une enveloppe d'atmosphère gazeuse en expansion.

Zénith : point à la verticale d'un observateur, sur la sphère céleste. La distance zénithale d'un astre est l'angle formé par la direction de cet astre et celle du zénith.

Zodiaque : bande céleste située le long de l'écliptique (7 degrés de part et d'autre). Sont dites zodiacales les constellations traversées par l'écliptique.

Index

Table des matières

IMPRESSION : BUSSIÈRE S.A., SAINT-AMAND (CHER). — N° 470.
D.L. MARS 1983/0099/47
ISBN 2-501-00365-9
Imprimé en France.